CW00525604

MMVII

Dublin London Toronto

ALBERTO CAEIRO

THE COMPLETE POEMS | POESIA COMPLETO

Fernando Pessoa

Translated and edited by Michael Lee Rattigan

A catalogue record for this book is available from the British Library.

ISBN 978-0-9552904-5-9

First published in Great Britain, 2007

rufus books
2 Lansdowne Row / No. 152
Berkeley Square
London W1J 6HL
England

Affiliates of rufus books under the same publishing name are also located in Dublin, Ireland, and Toronto, Canada.

Cover photography: Mark Knight
Author statue photograph: Nol Aders
Translator photograph: Ágnes Cserháti

To Mand

ALBERTO CAEIRO

POESIA COMPLETO | THE COMPLETE POEMS

CONTEÚDO

O Guardador De Rebanhos ⁂

CONTENTS

The Keeper of Flocks ※

The Shepherd in Love ⁜

Fragmentos ✻

Poemas Inconjuntos ✻

Fragments ✲

Detached Poems ⁕

O Guardador De Rebanhos

The Keeper of Flocks

I

Eu nunca guardei rebanhos,
Mas é como se os guardasse.
Minha alma é como um pastor,
Conhece o vento e o sol
E anda pela mão das Estações
A seguir e a olhar.
Toda a paz da Natureza sem gente
Vem sentar-se a meu lado.
Mas eu fico triste como um pôr de sol
Para a nossa imaginação,
Quando esfria no fundo da planície
E se sente a noite entrada
Como uma borboleta pela janela.

Mas a minha tristeza é sossego
Porque é natural e justa
E é o que deve estar na alma
Quando já pensa que existe
E as mãos colhem flores sem ela dar por isso.

Como um ruído de chocalhos
Para além da curva da estrada,
Os meus pensamentos são contentes.
Só tenho pena de saber que eles são contentes,
Porque, se o não soubesse,
Em vez de serem contentes e tristes,

I

I never looked after flocks,
But it's as if I looked after them.
My soul is like a shepherd,
It knows both the wind and sun
And walks hand in hand with the seasons
Following and watching.
All the peace of nature on its own
Comes and takes its place beside me.
But I remain sad, like a sunset
As the imagination shows it,
When a chill gathers at the far end of the valley
And you feel the night has entered
Like a butterfly through a window.

But my sadness is calm
Because it's right and natural
And is what should be in the soul
When it thinks that it exists
And I pluck flowers without even realising it.

With the sound of sheep-bells
Beyond the bend in the path,
My thoughts are contented.
Only I'm sad in knowing that they're contented,
Because, if I didn't know it,
Instead of being contented and sad,

Seriam alegres e contentes.

Pensar incomoda como andar à chuva
Quando o vento cresce e parece que chove mais.

Não tenho ambições nem desejos.
Ser poeta não é uma ambição minha.
É a minha maneira de estar sozinho.

E se desejo às vezes,
Por imaginar, ser cordeirinho
(Ou ser o rebanho todo
Para andar espalhado por toda a encosta
A ser muita cousa feliz ao mesmo tempo),
É só porque sinto o que escrevo ao pôr do sol,
Ou quando uma nuvem passa a mão por cima da luz
E corre um silêncio pela erva fora.

Quando me sento a escrever versos
Ou, passeando pelos caminhos ou pelos atalhos,
Escrevo versos num papel que está no meu pensamento,
Sinto um cajado nas mãos
E vejo um recorte de mim
No cimo de um outeiro,
Olhando para o meu rebanho e vendo as minhas ideias
Ou olhando para as minhas ideias e vendo o meu rebanho,
E sorrindo vagamente como quem não compreende o que
se diz
E quer fingir que compreende.

Saúdo todos os que me lerem,
Tirando-lhes o chapéu largo
Quando me vêem à minha porta

They'd be happy and contented.

Thinking bothers one like walking beneath the rain
When the wind picks up and it seems to rain more.

I have neither ambitions nor wishes.
To be a poet isn't one of my ambitions.
It's my way of being alone.

And if I have the occasional wish,
By imagining, for example, I were a small lamb
(Or to be the whole flock
Ambling pleasantly along the hillside
And being many happy things all at once),
It's only because the evening lends feeling to what I write,
As when a cloud draws its hand across the light
And silence runs along the length of the grass.

When I sit down to write verses
Or, as I wander along the pathways and byways,
I write down verses on a paper that can be found in my thoughts,
I feel a shepherd's staff in my hands
And see my silhouette
On a hill summit,
Watching my flock and seeing my ideas
Or watching my ideas and seeing my flock,
And smiling vaguely like one who doesn't understand something
being said
And wants to pretend they understand.

I greet as many as those who read me,
Raising my wide-brimmed hat
When they see me at my door

Mal a diligência levanta no cimo do outeiro.
Saúdo-os e desejo-lhes sol,
E chuva, quando a chuva é precisa,
E que as suas casas tenham
Ao pé duma janela aberta
Uma cadeira predilecta
Onde se sentem, lendo os meus versos.
E ao lerem os meus versos pensem
Que sou qualquer cousa natural—
Por exemplo, a árvore antiga
À sombra da qual quando crianças
Se sentavam com um baque, cansados de brincar,
E limpavam o suor da testa quente
Com a manga do bibe riscado.

⁂

Just as a coach shows itself on the hilltop.
I greet them and wish them sun,
And rain, when the rain is needed,
And that their houses possess
Below an open window
A favourite chair
In which they can sit and read my verses.
And for them to think in reading my verses
That I'm like any other natural thing—
An ancient tree for instance,
In whose shade when children
They threw themselves down to rest, worn-out with play,
And wiped the sweat from their burning brows
With the sleeve of a striped vest.

⁂

II

O meu olhar é nítido como um girassol.
Tenho o costume de andar pelas estradas
Olhando para a direita e para a esquerda,
E de vez em quando olhando para trás...
E o que vejo a cada momento
É aquilo que nunca antes eu tinha visto,
E eu sei dar por isso muito bem...
Sei ter o pasmo comigo
Que tem uma criança se, ao nascer,
Reparasse que nascera deveras...
Sinto-me nascido a cada momento
Para a eterna novidade do mundo...

Creio no mundo como num malmequer,
Porque o vejo. Mas não penso nele
Porque pensar é não compreender...
O mundo não se fez para pensarmos nele
(Pensar é estar doente dos olhos)
Mas para olharmos para ele e estarmos de acordo.

Eu não tenhofilosofia: tenho sentidos...
Se falo na Natureza não é porque saiba o que ela é,
Mas porque a amo, e amo-a por isso,
Porque quem ama nunca sabe o que ama
Nem sabe porque ama, nem o que é amar...

Amar é a eterna inocência,
E a única inocência é não pensar...

II

My gaze is as clear as a sunflower's.
To walk along pathways is my custom
Looking to my left and to my right,
And from time to time looking behind...
And what I see at every moment
Is what I've never seen before,
And I am well aware of it...
I know what it is to have the vital curiosity
That a child has, if, at its birth,
It is truly aware of being born...
I feel reborn at every moment
Before the world's eternal newness...

I believe in the world as I do a flower,
Because I see it. But I don't think about it,
Because to think isn't to understand...
The world wasn't made to be thought about
(To think is to suffer from an eye illness)
But only to be looked at and agreed with.

I don't have a philosophy: I have senses...
If I talk about nature it isn't because I know what it is,
But because I love it, and love it for that reason,
Because those who love never know what they love
Nor know why they love, nor what love is...

Love is an eternal innocence,
And the only innocence is not to think...

III

Ao entardecer, debruçado pela janela,
E sabendo de soslaio que há campos em frente,
Leio até me arderem os olhos
O livro de Cesário Verde.

Que pena que tenho dele! Ele era um camponês
Que andava preso em liberdade pela cidade.
Mas o modo como olhava para as casas,
E o modo como reparava nas ruas,
E a maneira como dava pelas pessoas,
É o de quem olha para árvores,
E de quem desce os olhos pela estrada por onde vai andando
E anda a reparar nas flores que há pelos campos...

Por isso ele tinha aquela grande tristeza
Que ele nunca disse bem que tinha,
Mas andava na cidade como quem não anda no campo
E triste como esmagar flores em livros
E pôr plantas em jarros...

III

As evening falls, seated at my window,
And at a glance realising that there are fields beyond,
Till my eyes ache I read
Cesario Verde's book.

How it grieves me! He was a countryman
Who wandered about the city as one of freedom's convicts.
But the way in which he looked at houses,
And the way in which he observed streets,
And the manner in which he interested himself in people,
Is like that of one who looks at trees,
And who scans the road along which they walk
And walks in full awareness of the flowers in the fields...

That's the reason for the great sadness
Which he never owned to having,
But walked about the city like one who walks about the country
With the sadness of one who presses flowers into books
And places plants in jars...

IV

Esta tarde a trovoada caiu
Pelas encostas do céu abaixo
Como um pedregulho enorme...

Como alguém que duma janela alta
Sacode uma toalha de mesa,
E as migalhas, por caírem todas juntas,
Fazem algum barulho ao cair,
A chuva chiou do céu
E enegreceu os caminhos...

Quando os relâmpagos sacudiam o ar
E abanavam o espaço
Como uma grande cabeça que diz que não,
Não sei porquê—eu não tinha medo—
Pus-me a querer rezar a Santa Bárbara
Como se eu fosse a velha tia de alguém...

Ah! é que rezando a Santa Bárbara
Eu sentia-me ainda mais simples
Do que julgo que sou...
Sentia-me familiar e caseiro
E tendo passado a vida
Tranquilamente, como o muro do quintal;
Tendo ideias e sentimentos por os ter
Como uma flor tem perfume e cor...

Sentia-me alguém que possa acreditar em Santa Bárbara...
Ah, poder crer em Santa Bárbara!

(Quem crê que há Santa Bárbara,

IV

The storm broke this afternoon
Tumbling from the sloped sky
Like a vast stone-scattered path...

As if someone from a high window
Shook out a tablecloth,
And its crumbs, all falling together,
Made a noise in their fall,
The rain lashed down the sky
And darkened the pathways...

When thunderclaps shook the air
And wafted through space
Like the shaking of a great head,
I don't know why—I wasn't afraid—
I started praying to Saint Barbara
As if I were someone's old aunt...

Ah! It's that in praying to Saint Barbara
I felt even simpler
Than how I judge myself to be...
I felt homely and house-proud
As if I'd passed my life
Quietly, like the wall beside the garden patio;
Having ideas simply for their own sake
As a flower has scent and colour...

I felt like one who was able to believe in Saint Barbara...
Ah, to be able to believe in Saint Barbara!

(Who believes in Saint Barbara,

Julgará que ela é gente e visível
Ou que julgará dela?)

(Que artifício! Que sabem
As flores, as árvores, os rebanhos,
De Santa Bárbara?... Um ramo de árvore,
Se pensasse, nunca podia
Construir santos nem anjos...
Poderia julgar que o sol
Alumia, e que a trovoada
É uma quantidade de gente
Zangada por cima de nós...
Ah, como os mais simples dos homens
São doentes e confusos e estúpidos
Ao pé da clara simplicidade
E saúde em existir
Das árvores e das plantas!)

E eu, pensando em tudo isto,
Fiquei outra vez menos feliz...
Fiquei sombrio e adoecido e soturno
Como um dia em que todo o dia a trovoada ameaça
E nem sequer de noite chega...

⁂

Do they believe that she is a person who can be seen
Or what do they think of her?)

(How artificial! What do
The flowers, the trees, the flocks
Know about Saint Barbara?... a tree-branch,
If it could think, would never
Come up with saints or angels...
It could believe that the sun
Is God, and that the storm
Is a mob of people
Enraged above us...
Ah! How even the simplest men
Are sick and confused and stupid
Before the clear simplicity
And healthy existence
Of the trees and plants!)

And I, thinking about all this,
Became less happy once more...
I became gloomy, sick and silent
Like a day on which all day long a storm has threatened
And still hasn't arrived by nightfall...

⁂

V

Há metafísica bastante em não pensar em nada.

O que penso eu do mundo?
Sei lá o que penso do mundo!
Se eu adoecesse pensaria nisso.

Que ideia tenho eu das cousas?
Que opinião tenho sobre as causas e os efeitos?
Que tenho eu meditado sobre Deus e a alma
E sobre a criação do mundo?
Não sei. Para mim pensar nisso é fechar os olhos
E não pensar. É correr as cortinas
Da minha janela (mas ela não tem cortinas).

O mistério das cousas? Sei lá o que é mistério!
O único mistério é haver quem pense
no mistério.
Quem está ao sol e fecha os olhos,
Começa a não saber o que é o sol
E a pensar muitas cousas cheias de calor.
Mas abre os olhos e vê o sol,
E já não pode pensar em nada,
Porque a luz do sol vale mais que os pensamentos
De todos os filósofos e de todos os poetas.
A luz do sol não sabe o que faz
E por isso não erra e é comum e boa.

Metafísica? Que metafísica têm aquelas árvores?
A de serem verdes e copadas e de terem ramos
E a de dar fruto na sua hora, o que não nos faz pensar,
A nós, que não sabemos dar por elas.

V

There is enough metaphysics in not thinking about anything.

What do I think of the world?
What do I know about what I think of the world!
If I were to fall ill, then I'd think about it.

What idea do I have about things?
What opinion regarding cause and effect?
Have I meditated on God and the soul
And about the creation of the world?
I don't know. To think about that for me is to close my eyes
And stop thinking. It is to draw the curtains
Of my windows (which don't have curtains).

The mystery of things? What do I know about mystery!
The only mystery is that there should be someone who thinks
about mystery.
Whoever stands beneath the sun and closes their eyes,
Begins not to know what the sun is
But to think of many things filled with heat.
When they open their eyes and see the sun,
They are not able to think of anything,
Because the sunlight is worth more than the thoughts
Of all the philosophers and poets.
The sunlight doesn't know what it does
And so makes no mistake, is both good and free to all.

Metaphysics? What metaphysics do those trees have?
That of being green and full-leaved and branched
And of giving fruit in their season, none of which makes us think,
We, who give no mind to them.

Mas que melhor metafísica que a delas,
Que é a de não saber para que vivem
Nem saber que o não sabem?

«Constituição íntima das cousas»...
«Sentido íntimo do universo»...
Tudo isto é falso, tudo isto não quer dizer nada.
É incrível que se possa pensar em cousas dessas.
É como pensar em razões e fins
Quando o começo da manhã está raiando, e pelos lados das árvores
Um vago ouro lustroso vai perdendo a escuridão.

Pensar no sentido íntimo das cousas
É acrescentado, é como pensar na saúde
Ou levar um copo à água das fontes.

O único sentido íntimo das cousas
É elas não terem sentido íntimo nenhum.

Não acredito em Deus porque nunca o vi.
Se ele quisesse que eu acreditasse nele,
Sem dúvida que viria falar comigo
E entraria pela minha porta dentro
Dizendo-me, *Aqui estou!*

(Isto é talvez ridículo aos ouvidos
De quem, por não saber o que é olhar para as cousas,
Não compreende quem fala delas
Com o modo de falar que reparar para elas ensina.)

Mas se Deus é as flores e as árvores
E os montes e sol e o luar,
Então acredito nele,

What better metaphysics than theirs,
Not to know what they live for
Nor know that they don't even know?

"The inner essence of things"...
"The inner meaning of the universe"...
All this is false, all this doesn't mean anything.
It's incredible that anyone should think of those things.
It's like thinking about the why and the wherefore
When the morning light is breaking, and the tangled tree-shadows
Fade in a light that shimmers with gold.

To think about the inner meaning of things
Is to go overboard, like thinking about health
Or taking a cup of water to a fountain.

The only inner meaning of things
Is that they don't have any inner meaning.

I don't believe in God because I've never seen him.
If he wanted me to believe in him,
Without doubt he'd come and talk to me
And coming in by my front door would
Say to me, *Here I am!*

(Perhaps this sounds ridiculous to those
Who, not knowing what it is to look at things,
Don't understand someone who speaks of them
In a way that's been learned through constantly observing.)

But if God is the flowers and the trees,
The mountains, the sun and the moonlight,
Then I believe in him,

Então acredito nele a toda a hora,
E a minha vida é toda uma oração e uma missa,
E uma comunhão com os olhos e pelos ouvidos.

Mas se Deus é as árvores e as flores
E os montes e o luar e o sol,
Para que lhe chamo eu Deus?
Chamo-lhe flores e árvores e montes e sol e luar;
Porque, se ele se fez, para eu o ver,
Sol e luar e flores e árvores e montes,
Se ele me aparece como sendo árvores e montes
E luar e sol e flores,
É que ele quer que eu o conheça
Como árvores e montes e flores e luar e sol.

E por isso eu obedeço-lhe,
(Que mais sei eu de Deus que Deus de si próprio?),
Obedeço-lhe a viver, espontaneamente,
Como quem abre os olhos e vê,
E chamo-lhe luar e sol e flores e árvores e montes,
E amo-o sem pensar nele,
E penso-o vendo e ouvindo,
E ando com ele a toda a hora.

⁂

I believe in him at all times,
And my whole life is both a prayer and a mass,
A communion with my eyes and my ears.

But if God is the trees and the flowers,
The mountains, moonlight and sun,
For what reason do I call him God?
I call him flowers and trees, mountains, sun and moonlight;
Because, if he has chosen that I should see him as
Sun and moonlight, flowers, trees and mountains,
If he shows himself to me as trees and mountains
And moonlight and sun and flowers,
Then it's because he wants me to know him
As trees and mountains, flowers, moonlight and sun.

And so I obey him,
(What more do I know of God than God himself?),
I obey him through living spontaneously,
As one who opens their eyes and sees,
And I call him moonlight and sun, trees and mountains,
And love him without thinking about him,
And think about him by seeing and hearing,
And walk with him at all times.

※

VI

Pensar em Deus é desobedecer a Deus,
Porque Deus quis que o não conhecêssemos,
Por isso se nos não mostrou...

Sejamos simples e calmos,
Como os regatos e as árvores,
E Deus amar-nos-á fazendo de nós
Nós como as árvores são árvores
E como os regatos são regatos,
E dar-nos-á verdor na sua primavera,
E um rio aonde ir ter quando acabemos...
E não nos dará mais nada, porque dar-nos mais seria
tirar-nos mais.

VI

To think about God is to disobey God,
Because God wanted for us not to know him,
And so he didn't show himself to us...

Let us be calm and simple,
Like the streams and the trees,
And God will love us by making us
Us, as the trees are trees
And as the streams are streams,
And will give us foliage in our springtime,
And a river to go to when we reach our end...
And will give us no more, because to give us more would be to
take away more.

VII

Da minha aldeia vejo quanto da terra se pode ver do
universo...
Por isso a minha aldeia é tão grande como outra terra qualquer,
Porque eu sou do tamanho do que vejo
E não do tamanho da minha altura...

Nas cidades a vida é mais pequena
Que aqui na minha casa no cimo deste outeiro.
Na cidade as grandes casas fecham a vista à chave,
Escondem o horizonte, empurram o nosso olhar para longe de
todo o céu,
Tornam-nos pequenos porque nos tiram o que os nossos olhos
nos podem dar,
E tornam-nos pobres porque a nossa única riqueza é ver.

VII

From my village I can see as much of the earth as is seen from
anywhere...
And so my village is as large as any other place,
Because I am the size of what I see
And not the size of my own stature...

In cities life is smaller
Than here in my house on this hilltop.
In the city large houses place the view under lock and key,
They conceal the horizon, directing our glance far away from
the sky,
They make us small because they take away what our eyes
can give us,
And they make us poor because our only riches lie in seeing.

VIII

Num meio-dia de fim de primavera
Tive um sonho como uma fotografia.
Vi Jesus Cristo descer à terra.

Veio pela encosta de um monte
Tornado outra vez menino,
A correr e a rolar-se pela erva
E a arrancar flores para as deitar fora
E a rir de modo a ouvir-se de longe.

Tinha fugido do céu.
Era nosso de mais para fingir
De segunda pessoa da trindade.
No céu era tudo falso, tudo em desacordo
Com flores e árvores e pedras.
No céu tinha que estar sempre sério
E de vez em quando de se tornar outra vez homem
E subir para a cruz, e estar sempre a morrer
Com uma coroa toda à roda de espinhos
E os pés espetados por um prego com cabeça,
E até com um trapo à roda da cintura
Como os pretos nas ilustrações.
Nem sequer o deixavam ter pai e mãe
Como as outras crianças.
O seu pai era duas pessoas—
Um velho chamado José, que era carpinteiro,
E que não era pai dele;
E o outro o pai era uma pomba estúpida,
A única pomba feia do mundo
Porque não era do mundo nem era pomba.
E a sua mãe não tinha amado antes de o ter.

VIII

One midday towards the end of spring
I had a dream clear as a photograph.
I saw Jesus come down to earth.

He descended by a mountain path
Made a child once more,
To run and roll himself in the grass
And pluck the flowers and toss them
And laugh in a way that can be heard from afar.

He'd run away from heaven.
He was too much like us to pretend he was
The second person of the trinity.
In heaven everything was false, everything out of keeping
With flowers and trees and stones.
In heaven he always had to be serious
And from time to time become a man again
And mount the cross and always be dying
With a crown of thorns on his head
And his feet hammered down with a spiked nail,
And with a cloth wrapped about his waist
Just like the black men in those pictures.
He wasn't even allowed to have a mother and father
Like other children.
He was fathered by two people—
An old man called Joseph, who was a carpenter,
And who wasn't his father;
And his other father was a silly dove,
The only ugly dove in the whole world
Because it wasn't of this world nor was it a dove.
And his mother hadn't loved anyone before having him.

Não era mulher: era uma mala
Em que ele tinha vindo do céu.
E queriam que ele, que só nascera da mãe,
E nunca tivera pai para amar com respeito,
Pregasse a bondade e a justiça!

Um dia que Deus estava a dormir
E o Espírito Santo andava a voar,
Ele foi à caixa dos milagres e roubou três.
Com o primeiro fez que ninguém soubesse que ele tinha
    fugido.
Com o segundo criou-se eternamente humano e menino.
Com o terceiro criou um Cristo eternamente na cruz
E deixou-o pregado na cruz que há no céu
E serve de modelo às outras.
Depois fugiu para o sol
E desceu pelo primeiro raio que apanhou.

Hoje vive na minha aldeia comigo.
É uma criança bonita de riso e natural.
Limpa o nariz ao braço direito,
Chapinha nas poças de água,
Colhe as flores e gosta delas e esquece-as.
Atira pedras aos burros,
Rouba a fruta dos pomares
E foge a chorar e a gritar dos cães.
E, porque sabe que elas não gostam
E que toda a gente acha graça,
Corre atrás das raparigas
Que vão em ranchos pelas estradas
Com as bilhas às cabeças
E levanta-lhes as saias.

She wasn't a woman: she was a carry-case
In which he arrived from heaven.
And they wanted him, born only of a mother,
And who never had a father to love with respect,
To preach unity and justice!

One day while God was sleeping
And the Holy Spirit was off flying,
He went to the miracle box and stole three.
With the first he ensured that nobody would find out that he'd
  run away.
With the second he made himself eternally human and a child.
With the third he created a Christ who'd remain eternally on the cross
And left him nailed to the cross in heaven
To serve as a model for all others.
Afterwards he ran away toward the sun
And came down on the first sunbeam he could catch.

Today he lives with me in my village.
He's a natural child with a beautiful smile.
He wipes his nose with his right arm,
Stamps in the puddles,
Picks flowers and admires them and forgets them.
He throws stones at the donkeys,
Steals fruit from the orchards
And scampers away, crying and screaming, from the dogs.
And, because he knows they don't like it
And everyone finds it funny,
He runs behind the girls
Who pass in groups along the pathways
With water-pots on their heads
And pulls up their skirts.

A mim ensinou-me tudo.
Ensinou-me a olhar para as coisas.
Aponta-me todas as coisas que há nas flores.
Mostra-me como as pedras são engraçadas
Quando a gente as tem na mão
E olha devagar para elas.

Diz-me muito mal de Deus.
Diz que ele é um velho estúpido e doente,
Sempre a escarrar no chão
E a dizer indecências.
A Virgem Maria leva as tardes da eternidade a fazer meia.
E o Espírito Santo coça-se com o bico
E empoleira-se nas cadeiras e suja-as.
Tudo no céu é estúpido como a Igreja Católica.
Diz-me que Deus não percebe nada
Das coisas que criou—
«Se é que ele as criou, do que duvido»—.
«Ele diz, por exemplo, que os seres cantam a sua glória,
Mas os seres não cantam nada.
Se cantassem seriam cantores.
Os seres existem e mais nada,
E por isso se chamam seres».

E depois, cansado de dizer mal de Deus,
O Menino Jesus adormece nos meus braços
E eu levo-o ao colo para casa.

⁂

Ele mora comigo na minha casa a meio do outeiro.
Ele é a Eterna Criança, o deus que faltava.
Ele é o humano que é natural,

He has taught me everything.
He taught me how to look at things.
He pointed out all the things that can be found in flowers.
He showed me how funny the stones are
When people take them in their hand
And look at them slowly.

He speaks very badly of God.
He tells me he is a sick and silly old man,
Always spitting on the floor
And saying rude things.
The Virgin Mary spends all the eternal afternoons sewing.
And the Holy Spirit scratches itself with its beak
And roosts in the heavenly seats and dirties them.
Everything in heaven is silly like the Catholic Church.
He tells me that God pays no attention
To the things that he created—
"If he actually created them, which I doubt".—
"He says, for instance, that all living things sing his glory,
But living things don't sing anything.
If they sang they would be singers.
Living things exist and nothing more,
And that's why they are called living things".

And afterwards, tired of speaking badly of God,
The Child Jesus falls asleep in my arms
And I carry him into the house.

He lives with me in my house on the hillside.
He's the Eternal Child, the god that was missing.
He is both human and natural,

Ele é o divino que sorri e que brinca.
E por isso é que eu sei com toda a certeza
Que ele é o Menino Jesus verdadeiro.

E a criança tão humana que é divina
É esta minha quotidiana vida de poeta,
E é porque ele anda sempre comigo que eu sou poeta sempre,
E que o meu mínimo olhar
Me enche de sensação,
E o mais pequeno som, seja do que for,
Parece falar comigo.

A Criança Nova que habita onde vivo
Dá-me uma mão a mim
E a outra a tudo que existe
E assim vamos os três pelo caminho que houver,
Saltando e cantando e rindo
E gozando o nosso segredo comum
Que é o de saber por toda a parte
Que não há mistério no mundo
E que tudo vale a pena.

A Criança Eterna acompanha-me sempre.
A direcção do meu olhar é o seu dedo apontado.
O meu ouvido atento alegremente a todos os sons
São as cócegas que ele me faz, brincando, nas orelhas.

Damo-nos tão bem um com o outro
Na companhia de tudo
Que nunca pensamos um no outro,
Mas vivemos juntos e dois
Com um acordo íntimo
Como a mão direita e a esquerda.

The divine one who smiles and plays.
And by this I know in all certainty
That he's truly the Child Jesus.

And he's the child who's so human he's divine
And this is my daily life as a poet,
And the reason I'm always a poet is because he's always with me,
And the merest glance
Fills me with emotion,
And the least sound, whatever it is,
Seems to speak to me.

This New Child who lives where I live
Offers one hand to me
And the other to everything that exists
And so the three of us walk on our way,
Leaping and singing and laughing
And enjoying our shared secret,
Which is knowing that in all places
The world holds no mystery
And that everything's worthwhile.

The Eternal Child always accompanies me.
My glance follows the direction in which his finger points.
My hearing, joyfully attuned to all sounds,
Is the playful way he tickles me about the ears.

We understand each other so well
In whatever company
That we never think about each other,
But live together the two of us
In intimate agreement
Like a right and left hand.

Ao anoitecer brincamos as cinco pedrinhas
No degrau da porta de casa,
Graves como convém a um deus e a um poeta,
E como se cada pedra
Fosse todo um universo
E fosse por isso um grande perigo para ela
Deixá-la cair no chão.

Depois eu conto-lhe histórias das coisas só dos homens
E ele sorri, porque tudo é incrível.
Ri dos reis e dos que não são reis,
E tem pena de ouvir falar das guerras,
E dos comércios, e dos navios
Que ficam fumo no ar dos altos mares.
Porque ele sabe que tudo isso falta àquela verdade
Que uma flor tem ao florescer
E que anda com a luz do sol
A variar os montes e os vales
E a fazer doer aos olhos os muros caiados.

Depois ele adormece e eu deito-o.
Levo-o ao colo para dentro de casa
E deito-o, despindo-o lentamente
E como seguindo um ritual muito limpo
E todo materno até ele estar nu.

Ele dorme dentro da minha alma
E às vezes acorda de noite
E brinca com os meus sonhos.
Vira uns de pernas para o ar,
Põe uns em cima dos outros
E bate as palmas sozinho
Sorrindo para o meu sono.

As evening falls we play at tossing stones
On the front step of the house,
Serious, as becomes a god and a poet,
And as if every stone
Were a whole universe
And as if it were a great danger
Should one fall to the ground.

Afterwards I tell him stories about men and of things relating to man
And he laughs, because everything is incredible.
He laughs at kings and at those who aren't kings,
And it saddens him to hear about wars,
And about trade, and of the ships
That throw smoke into the air on the high seas.
Because he knows that all this falls short of the truth
That a flower has to blossom
And follow the sunlight
Varying the mountains and valleys
And making one's eyes ache beside the whitewashed walls.

After this he falls sleep and I put him to bed.
I carry him in my arms into the house
And lay him down, undressing him slowly
As if following the tenderest ritual,
An utterly maternal one, until he is completely naked.

He sleeps within my soul
And sometimes wakes at night
And plays with my dreams.
He turns some of them upside down,
Throws some on top of others
And applauds his own efforts
Smiling at my sleepiness.

⁂

Quando eu morrer, filhinho,
Seja eu a criança, o mais pequeno.
Pega-me tu ao colo
E leva-me para dentro da tua casa.
Despe o meu ser cansado e humano
E deita-me na tua cama.
E conta-me histórias, caso eu acorde,
Para eu tornar a adormecer.
E dá-me sonhos teus para eu brincar
Até que nasça qualquer dia
Que tu sabes qual é.

⁂

Esta é a história do meu Menino Jesus.
Porque razão que se perceba
Não há-de ser ela mais verdadeira
Que tudo quanto os filósofos pensam
E tudo quanto as religiões ensinam?

⁂

⁂

When I die, little boy,
I'll then be the child, the smallest one.
Take me in your arms
And carry me into your house.
Undress my worn-out human-self
And lay me in your bed.
And tell me stories if I awake
To send me back to sleep.
And give me your dreams to play with
Until the coming of the day
That you already know of.

⁂

This is the story of my Child Jesus.
Why shouldn't it be seen
As being any less true
Than all that's been thought by philosophers
And all that's been taught by religion?

⁂

IX

Sou um guardador de rebanhos.
O rebanho é os meus pensamentos
E os meus pensamentos são todos sensações.
Penso com os olhos e com os ouvidos
E com as mãos e os pés
E com o nariz e a boca.

Pensar uma flor é vê-la e cheirá-la
E comer um fruto é saber-lhe o sentido.

Por isso quando num dia de calor
Me sinto triste de gozá-lo tanto,
E me deito ao comprido na erva,
E fecho os olhos quentes,
Sinto todo o meu corpo deitado na realidade,
Sei a verdade e sou feliz.

IX

I am a keeper of flocks.
The flock is my thoughts
And my thoughts are all emotions.
I think with my eyes and my ears
And with my hands and feet
And with my nose and mouth.

To think of a flower is to see it and smell it
And to eat a fruit is to know its meaning.

And so when the day is hot
I feel sad for enjoying it so much,
And stretch myself out on the grass,
And close my heat-struck eyes,
I feel my whole body has tumbled into reality,
I know the truth and am happy.

X

«Olá, guardador de rebanhos,
Aí à beira da estrada,
Que te diz o vento que passa?»

«Que é vento, e que passa,
E que já passou antes,
E que passará depois.
E a ti o que te diz?»

«Muita cousa mais do que isso.
Fala-me de muitas outras cousas.
De memórias e de saudades
E de cousas que nunca foram.»

«Nunca ouviste passar o vento.
O vento só fala do vento.
O que lhe ouviste foi mentira,
E a mentira está em ti.»

X

"Hello, keeper of flocks,
There at the edge of the path,
What does the passing wind tell you?"

"That it's the wind, and that it goes by,
And that it went by before,
And that it will go by again.
And to you, what does it tell you?"

"Far more than that.
It tells me many other things.
About memories and longings
And about things that never existed."

"You never heard the wind go by.
The wind only speaks of the wind.
What you heard was a lie,
And the lie is within you."

XI

Aquela senhora tem um piano
Que é bom de ouvir mas não é o correr dos rios
Nem o murmúrio que as árvores fazem...

Para que é preciso ter um piano?
O melhor é ter ouvidos
E amar a Natureza.

XI

That lady owns a piano
Which is nice to hear, but it's not the river's flow
Nor the stirring made by the trees...

Why does anyone need a piano?
It's best just to listen
And to love Nature.

XI

(variante)

Aquela senhora tem um piano,
Que é bonito de ouvir, mas é o que ela faz dele.
Faz uma música feita,
Nem é o soar fraco dos ribeiros estreitos
Nem o som afastado que mais que uma árvore alta faz.

O melhor é não ter piano
E ouvir só o que nasce com som.

XI

(variant)

That lady owns a piano
That's pretty to hear, but it's what she makes of it.
She makes a ready-made music,
Not the faint sound of narrow streams
Nor the far-off sound that more than one tree makes.

Best not to have a piano
And hear only what is born of sound.

XII

Os pastores de Virgílio tocavam avenas e outras cousas
E cantavam de amor literariamente
(Dizem—eu nunca li Virgílio.
Para que o havia eu de ler?).

Mas os pastores de Virgílio não são pastores: são Virgílio,
E a Natureza é bela antes disso.

XII

Virgil's shepherds played panpipes and other things
And sang about love in literary fashion.
(So they say—I've never read Virgil.
Why should I read him?).

But Virgil's shepherds aren't shepherds: they're Virgil,
And Nature is beautiful before anything else.

XIII

Leve, leve, muito leve,
Um vento muito leve passa,
E vai-se, sempre muito leve.
E eu não sei o que penso
Nem procuro sabê-lo.

XIII

Gently, gently, very gently,
A very gentle breeze goes by,
And passes on, always very gently.
And I don't know what I think
Nor try to find out.

XIV

Não me importo com as rimas. Raras vezes
Há duas árvores iguais, uma ao lado da outra.
Penso e escrevo como as flores têm cor
Mas com menos perfeição no meu modo de exprimir-me
Porque me falta a simplicidade divina
De ser todo só o meu exterior.

Olho e comovo-me,
Comovo-me como a água corre quando o chão é inclinado
E a minha poesia é natural como o levantar-se vento...

XIV

I'm not interested in rhyme. Rarely
Are there two equal trees, one beside the other.
I think and write just as the flowers have colour
But with less perfection in my form of expression
Because I lack the divine simplicity
Of being completely my exterior.

I look and am moved,
I'm moved just as water runs where the ground slopes
And what I write is natural, like wind as it lifts...

XIV

(variante)

Rimo quando calha
E as mais das vezes não rimo...
Copio a Natureza e não a interrogo.
(De que me serviria interrogá-la?)
Nem tudo é terreno plano,
Por isso muitas vezes não rimo...

XIV

(variant)

I rhyme when it suits
But most of the time I don't...
I copy Nature without question.
(What good would questioning do?)
Not all ground is even,
And so I don't often rhyme...

XV

As quarto canções que seguem
Separam-se de tudo o que penso,
Mentem a tudo o que eu sinto,
São do contrário do que sou...

Escrevi-as estando doente
E por isso elas são naturais
E concordam com aquilo que sinto,
Concordam com aquilo com que não concordam...
Estando doente devo pensar o contrário
Do que penso quando estou são
(Senão não estaria doente),
Devo sentir o contrário do que sinto
Quando sou eu na saúde,
Devo mentir à minha natureza
De criatura que sente de certa maneira...
Devo ser todo doente—ideias e tudo.
Quando estou doente, não estou doente para outra cousa.

Por isso essas canções que me renegam
Não são capazes de me renegar
E são a paisagem da minha alma de noite,
A mesma ao contrário...

XV

The following four songs
Are distant from everything I think,
Lie about everything I feel,
Are the opposite of what I am...

I wrote them in sickness
And so they are natural
And agree with what I feel,
Agree with what I'm not in agreement with...
In sickness I must think the opposite
Of what I think when in health
(If not then I wouldn't be sick),
I must feel the opposite of what I feel
When I'm in health,
I must give the lie to my own animal nature
Which feels things in a certain way...
I must be completely sick—ideas and all.
When sick, I'm not sick for any other reason.

And so those songs that belie me
Aren't able to belie me
And are the landscape of my soul at night,
The same vice versa...

XVI

Quem me dera que a minha vida fosse um carro de bois
Que vem a chiar, manhaninha cedo, pela estrada,
E que para de onde vem volta depois,
Quase à noitinha pela mesma estrada.

Eu não tinha que ter esperanças—tinha só que ter rodas...
A minha velhice não tinha rugas nem cabelos brancos...
Quando eu já não servia, tiravam-me as rodas
E eu fiava virado e partido no fundo de um barranco.

Ou então faziam de mim qualquer coisa diferente
E eu não sabia nada do que de mim faziam...
Mas eu não sou um carro, sou diferente,
Mas em que sou realmente diferente nunca me diriam.

Depois as ervas vinham a crescer e encobriam-me todo...
Passavam as árvores... e eu já nem era visto...
Comia-me a terra... e eu que era ferro e madeira voltava ao seu lado
Ia direito ao coração da terra como a alma pr'a Cristo.

XVI

Would that my life were an ox-cart
Creaking along the pathway at dawn,
And which having arrived at the place for which it set out, returns
Around sunset by the same road.

I shouldn't have hopes—I should only have wheels...
My age wouldn't be one of wrinkles and white hair...
When no longer of use to anyone, they'd remove my wheels
And I'd be dumped and shattered at the bottom of a gully.

Or better, they'd turn me into something else
And I'd know nothing of what they did to me...
But I'm not a cart, I'm different,
Though how I'm really different they never told me.

After the grass has grown and covered me completely...
The trees will go by... And I'll no longer be seen...
The earth will eat me... And I, with iron and wood, will return to my place,
Go straight to the heart of the earth like the soul toward Christ.

XVII

A Salada

No meu prato que mistura de Natureza!
As minhas irmãs as plantas,
As companheiras das fontes, as santas
A quem ninguém reza...

E cortam-nas e vêm à nossa mesa
E nos hotéis os hóspedes ruidosos,
Que chegam com correias tendo mantas,
Pedem «salada», descuidosos...

Sem pensar que exigem à Terra-Mãe
A sua frescura e os seus filhos primeiros,
As primeiras verdes palavras que ela tem,
As primeiras cousas vivas e irisantes
Que Noé viu
Quando as águas desceram e o cimo dos montes
Verde e alagado surgiu
E no ar por onde a pomba apareceu
O arco-íris se esbateu...

XVII

To Salad

How Nature is all mixed up on my plate!
My sisters the plants,
Fountain-companions, the saints
To whom nobody prays...

And they are picked and brought to our table
And to hotels with their noisy guests,
Who arrive with their travel bags
Carelessly asking for "salad"...

Without realising what they demand from Mother Nature
Her freshness and her first sons,
The first green words she possesses,
The first live and luminous things
That Noah saw
When the waters subsided and the mountain-tops
Arose green and waterlogged
And in the air where a dove appeared
A rainbow scattered its light...

XVIII

Quem me dera que eu fosse o pó da estrada
E que os pés dos pobres me estivessem pisando...

Quem me dera que eu fosse os rios que correm
E as lavadeiras estivessem à minha beira...

Quem me dera que eu fosse os choupos à margem do rio
E tivesse só o céu por cima e a água por baixo...

Quem me dera que eu fosse o burro do moleiro
E que ele me batesse e me estimasse...

Antes isso que ser o que atravessa a vida
Olhando para trás de si e tendo pena...

XVIII

Would I were the dust on the path
And the feet of the poor were treading me down...

Would I were the rivers that flow
And the washer-women were at my banks...

Would I were the poplar trees at the river's edge
With only the sky above and the water below...

Would I were the miller's donkey
And he beat me and valued me...

All this rather than being someone who goes through life
Looking backwards and feeling sorrow...

XIX

O luar quando bate na relva
Não sei que cousas me lembra...
Lembra-me a voz da criada velha
Contando-me contos de fadas
E de como Nossa Senhora vestida de mendiga
Andava à noite nas estradas
Socorrendo as crianças maltratadas...

Se eu já não posso crer que isso é verdade,
Para que bate o luar na relva?

Estas quatro canções, escrevi-as estando doente
Agora ficaram escritas e não penso mais nelas.
Gozemos, se pudermos, a nossa doença,
Mas nunca a achemos saúde,
Como os homens fazem.

O defeito dos homens não é serem doentes:
E chamarem saúde à sua doença.
E por isso não buscarem a cura
Nem realmente saberem o que é saúde e doença.

XIX

When the moonlight leans on the grass,
I don't know what I'm reminded of...
It reminds me of my old nurse's voice
Telling me fairy tales
And of how Our Lady, dressed as a beggar-woman,
Wandered the paths at night
Giving succour to mistreated children...

If I can no longer believe in the truth of that,
Then why does the moonlight lean on the grass?

I wrote these four songs in sickness.
Now they're written and I don't give them any more thought.
If we can, let's enjoy our sickness,
But never believe it to be health,
As other men do.

Mankind's defect isn't that of being sick:
It's that it calls its sickness health,
And so doesn't look to heal itself
And really doesn't know what health and sickness is.

XX

O Tejo é mais belo que o rio que corre pela minha aldeia,
Mas o Tejo não é mais belo que o rio que corre
pela minha aldeia
Porque o Tejo não é o rio que corre pela minha aldeia.

O Tejo tem grandes navios
E navega nele ainda,
Para aqueles que vêem em tudo o que lá não está,
A memória das naus.

O Tejo desce de Espanha
E o Tejo entra no mar em Portugal.
Toda a gente sabe isso.
Mas poucos sabem qual é o rio da minha aldeia
E para onde ele vai
E donde ele vem.
E por isso, porque pertence a menos gente,
É mais livre e maior o rio da minha aldeia.

Pelo Tejo vai-se para o mundo.
Para além do Tejo há a América
E a fortuna daqueles que a encontram.
Ninguém nunca pensou no que há para além
Do rio da minha aldeia.

O rio da minha aldeia não faz pensar em nada.
Quem está ao pé dele está só ao pé dele.

XX

The Tagus is more beautiful than the river that runs through my village,
But the Tagus isn't more beautiful than the river that runs
through my village
Because the Tagus isn't the river that runs through my village.

The Tagus has large ships
And still navigating its straits,
For those who see in everything something that isn't there,
Is a record of naval life.

The Tagus runs down from Spain
And the Tagus enters the sea through Portugal.
Everyone knows that.
But few know about the river in my village
And where it runs
And where it comes from.
And so, because it concerns fewer people,
The river in my village is both freer and greater.

You go out toward the world through the Tagus.
Beyond the Tagus lies America
And the fortune of those who reach it.
Nobody's ever thought about what lies beyond
The river in my village.

The river in my village doesn't make you think of anything.
Whoever stands beside it simply stands beside it.

XXI

Se eu pudesse trincar a terra toda
E sentir-lhe um paladar,
E se a terra fosse uma cousa para trincar
Seria mais feliz um momento...
Mas eu nem sempre quero ser feliz.
É preciso ser de vez em quando infeliz
Para se poder ser natural...
Nem tudo é dias de sol,
E a chuva, quando falta muito, pede-se.
Por isso tomo a infelicidade com a felicidade
Naturalmente, como quem não estranha
Que haja montanhas e planícies
E que haja rochedos e erva...

O que é preciso é ser-se natural e calmo
Na felicidade ou na infelicidade,
Sentir como quem olha,
Pensar como quem anda,
E quando se vai morrer, lembrar-se de que o dia morre,
E que o poente é belo e é bela a noite que fica...
E que se assim é, é porque é assim.

XXI

If I were able to carve up the whole earth
And seek out its essence,
If the earth were something that could be carved up
I'd be happier for a moment...
But I don't want to be happy always.
It's necessary to be unhappy from time to time
So as to be natural...
Not every day is sunny,
And the rain, when missing for long, is asked for.
And so I accept unhappiness together with happiness
Naturally, as someone who doesn't find it strange
There should be mountains and plains
And there should be rocks and grass...

What's lacking is to be calm and natural
In happiness or unhappiness,
To feel as one who watches,
Think as one who walks,
And when you are about to die, to bear in mind that the day also dies,
And the sun's setting is as beautiful as the night that follows...
And if that's how it is, it's because that's how it is.

XXII

Como quem num dia de Verão abre a porta de casa
E espreita para o calor dos campos com a cara toda,
Às vezes, de repente, bate-me a Natureza de chapa
Na cara dos meus sentidos,
E eu fico confuso, perturbado, querendo perceber
Não sei bem como nem o quê...

Mas quem me mandou a mim querer perceber?
Quem me disse que havia que perceber?

Quando o Verão me passa pela cara
A mão leve e quente da sua brisa,
Só tenho que sentir agrado porque é brisa
Ou que sentir desagrado porque é quente,
E de qualquer maneira que eu o sinta,
Assim, porque assim o sinto, é que isso é senti-lo...

XXII

Like someone who opens their door on a Summer's day
And whose bare face is met by heat from the fields,
Sometimes, of a sudden, nature strikes me in its fullness
In every sense,
And leaves me confused, unsettled, wanting to understand
Exactly what I'm not sure or why...

But who demands that I should want to understand?
Who says that I have to understand?

When Summer passes across my face
The hot and light hand of its breeze,
I should only feel pleasure in the breeze
Or feel bothered by its heat,
And whatever way I feel it,
So it is, because like so I feel it, because that is to feel it...

XXIII

O meu olhar azul como o céu
É calmo como a água ao sol.
É assim, azul e calmo,
Porque não interroga nem se espanta...

Se eu interrogasse e me espantasse
Não nasciam flores novas nos prados
Nem mudaria qualquer cousa no sol de modo a ele ficar mais belo.

(Mesmo se nascessem flores novas no prado
E se o sol mudasse para mais belo,
Eu sentiria menos flores no prado
E achava mais feio o sol...
Porque tudo é como é assim é que é,
E eu aceito, e nem agradeço,
Para não parecer que penso nisso...)

XXIII

My gaze is blue like the sky,
It's calm like water beneath the sun.
And it's like this, calm and blue,
Because it doesn't seek to question or be shocked...

If I were to question or were shocked
No new flowers would spring up in the meadow
Nor would anything change so as to become more beautiful.

(Even if new flowers were to spring up in the meadow
And the sun change so as to become more beautiful,
I'd feel there were less flowers in the meadow
And would find the sun less attractive...
Because everything is how it is and that's how it is,
And I accept it, nor am I grateful for it,
So as not to feel I think about it...)

XXIV

O que nós vemos das cousas são as cousas.
Por que veríamos nós uma cousa se houvesse outra?
Por que é que ver e ouvir seriam iludirmo-nos
Se ver e ouvir são ver e ouvir?

O essencial é saber ver,
Saber ver sem estar a pensar,
Saber ver quando se vê,
E nem pensar quando se vê
Nem ver quando se pensa.

Mas isso (tristes de nós que trazemos a alma vestida!),
Isso exige um estudo profundo,
Uma aprendizagem de desaprender
E uma sequestração na liberdade daquele convento
De que os poetas dizem que as estrelas são as freiras eternas
E as flores as penitentes convictas de um só dia,
Mas onde afinal as estrelas não são senão estrelas
Nem as flores senão flores,
Sendo por isso que lhes chamamos estrelas e flores.

XXIV

What we see of things are the things themselves.
Why would we see one thing if it were another?
Is seeing and hearing an illusion
If seeing and hearing is to see and hear?

What's vital is knowing how to see,
Know how to see without thinking,
Know how to see when you see,
And not think when you see,
Nor see when you think.

But this (the sadness of those who adorn their souls!),
This demands deep study,
A tutoring in how to cast off learning
And a term in the freedom of that convent
In which the poets say that stars are eternal nuns
And flowers the penitent convicts of a single day,
But where finally the stars are nothing else but stars
Nor flowers anything else but flowers,
And that's why we call them stars and flowers.

XXV

As bolas de sabão que esta criança
Se entretém a largar de uma palhinha
São translucidamente uma filosofia toda.

Claras, inúteis e passageiras como a Natureza,
Amigas dos olhos como as cousas,
São aquilo que são
Com uma precisão redondinha e aérea,
E ninguém, nem mesmo a criança que as deixa,
Pretende que elas são mais do que parecem ser.

Algumas mal se vêem no ar lúcido.
São como a brisa que passa e mal toca nas flores
E que só sabemos que passa
Porque qualquer cousa se aligeira em nós
E aceita tudo mais nitidamente.

XXV

The soap bubbles that this child
Blows from a tiny straw to amuse himself
Are a translucently complete philosophy.

Clear, useless and transient like Nature,
Befriending the eyes like things,
They are what they are
With their globed and airy precision,
And no-one, not even the child who releases them,
Pretends they're anything else but what they seem to be.

Some are barely visible in the clear air.
They're like the breeze that goes by and hardly stirs the flowers
And which we only know goes by
Because something is lightened within us
And accepts everything more fully.

XXVI

Às vezes, em dias de luz perfeita e exacta,
Em que as cousas têm toda a realidade que podem ter,
Pergunto a mim próprio devagar
Por que sequer atribuo eu
Beleza às cousas.

Uma flor acaso tem beleza?
Tem beleza acaso um fruto?
Não: têm cor e forma
E existência apenas.
A beleza é o nome de qualquer cousa que não existe
Que eu dou às cousas em troca do agrado que me dão.
Não significa nada.
Então porque digo eu das cousas: são belas?

Sim, mesmo a mim, que vivo só de viver,
Invisíveis, vêm ter comigo as mentiras dos homens
Perante as cousas,
Perante as cousas que simplesmente existem.

Que difícil ser próprio e não ver senão o visível!

XXVI

Sometimes, on days of exact and perfect light,
In which things possess all the reality they can possess,
I slowly ask myself
Why I bother assigning
Beauty to things.

Perhaps a flower has beauty?
Does that fruit have beauty then?
No: they possess form and colour
And existence only.
Beauty is the name given to whatever doesn't exist
And which I grant to things according to the pleasure they give me.
It doesn't mean anything.
Why do we ask of them then: are they beautiful?

Yes, even me, who lives only to live,
Am visited by the lies of others which arrive invisibly,
Lies about things,
About things that simply exist.

How difficult to be yourself and see only what's visible!

XXVII

Só a Natureza é divina, e ela não é divina...

Se às vezes falo dela como de um ente
É que para falar dela preciso usar da linguagem
dos homens
Que dá personalidade às cousas,
E impõe nome às cousas.

Mas as cousas não têm nome nem personalidade:
Existem, e o céu é grande e a terra larga,
E o nosso coração do tamanho de um punho fechado...

Bendito seja eu por tudo quanto não sei.
É isso tudo que verdadeiramente sou.
Gozo tudo isso como quem sabe que há o sol.

XXVII

Only Nature is divine and it isn't divine...

If I speak about it as if it had being
That's only because in speaking about it I need to use the language
  of men
Which gives a personality to things,
And imposes a name on things.

But things don't have a name or personality:
They exist, and the sky is large and the earth wide,
And our heart the size of a closed fist...

I am blessed by everything I don't know.
And this is all I truly am.
I enjoy it all like one who knows the sun exists.

XXVIII

Li hoje quase duas páginas
Do livro dum poeta místico,
E ri como quem tem chorado muito.

Os poetas místicos são filósofos doentes,
E os filósofos são homens doidos.

Porque os poetas místicos dizem que as flores sentem
E dizem que as pedras têm alma
E que os rios têm êxtases ao luar.

Mas as flores, se sentissem, não eram flores,
Eram gente;
E se as pedras tivessem alma, eram cousas vivas, não eram pedras;
E se os rios tivessem êxtases ao luar,
Os rios seriam homens doentes.

É preciso não saber o que são flores e pedras e rios
Para falar dos sentimentos deles.
Falar da alma das pedras, das flores, dos rios,
É falar de si próprio e dos seus falsos pensamentos.
Graças a Deus que as pedras são só pedras,
E que os rios não são senão rios,
E que as flores são apenas flores.

Por mim, escrevo a prosa dos meus versos
E fico contente,
Porque sei que compreendo a Natureza por fora;
E não a compreendo por dentro
Porque a Natureza não tem dentro;
Senão não era a Natureza.

XXVIII

Today I read almost two pages
From the book of a mystical poet,
And laughed like someone who's cried a lot.

Mystical poets are sick philosophers,
And philosophers are madmen.

Because mystical poets say flowers have feelings
And say stones have souls
And that rivers experience ecstasy in the moonlight.

But flowers, if they had feelings, wouldn't be flowers,
They'd be people;
And if stones had souls, they'd be living things, they wouldn't be stones;
And if rivers experienced ecstasy in the moonlight,
Then rivers would be sick men.

Not knowing what flowers and stones and rivers are is necessary
In order to talk about their feelings.
To talk about the soul of a stone, of the flowers, or the rivers,
Is to talk about yourself and your own false thoughts.
God be thanked that stones are only stones,
And rivers no more than rivers,
And flowers just flowers.

As for me, I write out my verse in prose
And am content,
Because I know I understand Nature on the outside;
And don't understand it on the inside
Because Nature doesn't have an inside;
If it did it wouldn't be Nature.

XXIX

Nem sempre sou igual no que digo e escrevo.
Mudo, mas não mudo muito.
A cor das flores não é a mesma ao sol
Do que quando uma nuvem passa
Ou quando entra a noite
E as flores são cor da sombra.

Mas quem olha bem vê que são as mesmas flores.
Por isso quando pareço não concordar comigo,
Reparem bem para mim:
Se estava virado para a direita,
Voltei-me agora para a esquerda,
Mas sou sempre eu, assente sobre os mesmos pés—
O mesmo sempre, graças ao céu e a terra
E aos meus olhos e ouvidos atentos
E à minha clara simplicidade de alma...

XXIX

I'm not always equal to what I say or write.
I change, but I don't change much.
The colour of flowers isn't the same in sunlight
As when a cloud passes over
Or when night draws in
And flowers are the colour of shadow.

But whoever looks at them clearly sees they are the same flowers.
And so when I seem not to agree with myself,
Then just remember this:
If I was facing to the right,
I have now turned to the left,
But it's always me, planted on my own two feet—
Always the same, thanks to the earth
And my attentive eyes and ears
And my clear simplicity of soul...

XXX

Se quiserem que eu tenha um misticismo, está bem, tenho-o.
Sou místico, mas só com o corpo.
A minha alma é simples e não pensa.

O meu misticismo é não querer saber.
É viver e não pensar nisso.

Não sei o que é a Natureza: canto-a.
Vivo no cimo dum outeiro
Numa casa caiada e sozinha,
E essa é a minha definição.

XXX

If they wish me to possess mysticism, that's fine, I possess it.
I'm mystical, but only with my body.
My soul is simple and doesn't think.

My mysticism is in not wanting to know.
It's in living and not thinking about it.

I don't know what Nature is: I sing it.
I live on a hilltop
In a whitewashed and solitary house,
And that is my definition.

XXXI

Se às vezes digo que as flores sorriem
E se eu disser que os rios cantam,
Não é porque eu julgue que há sorrisos nas flores
E cantos no correr dos rios...

É porque assim faço mais sentir aos homens falsos
A existência verdadeiramente real das flores e dos rios.

Porque escrevo para eles me lerem sacrifico-me às vezes
À sua estupidez de sentidos...
Não concordo comigo mas absolvo-me
Porque não me aceito a sério.
Porque só sou essa cousa odiosa, um intérprete da Natureza,
Porque há homens que não percebem a sua linguagem,
Por ela não ser linguagem nenhuma...

XXXI

If I sometimes say that flowers smile
And if I say the rivers sing,
That's not because I believe smiles are found in flowers
And songs in the river's flow...

It's so that those false people can feel more keenly
The truly real existence of flowers and rivers.

Because I write so that they might read me, I sometimes make sacrifices
To the stupidity of their senses...
I don't agree with myself in doing this, but find excuse for it
Because I don't take myself seriously.
Because I'm only that mean thing, an interpreter of nature,
Because there are men who don't understand its language,
As it has no language at all...

XXXII

Ontem à tarde um homem das cidades
Falava à porta da estalagem.
Falava comigo também.
Falava da justiça e da luta para haver justiça
E dos operários que sofrem,
E do trabalho constante, e dos que têm fome,
E dos ricos, que só têm costas para isso.

E, olhando para mim, viu-me lágrimas nos olhos
E sorriu com agrado, julgando que eu sentia
O ódio que ele sentia, e a compaixão
Que ele dizia que sentia.

(Mas eu mal o estava ouvindo.
Que me importam a mim os homens
E o que sofrem ou supõem que sofrem?
Sejam como eu—não sofrerão.
Todo o mal do mundo vem de nos importarmos uns com os outros,
Quer para fazer bem, quer para fazer mal.
A nossa alma e o céu e a terra bastam-nos.
Querer mais é perder isto, e ser infeliz.)

Eu no que estava pensando
Quando o amigo de gente falava
(E isso me comoveu até às lágrimas),
Era em como o murmúrio longínquo dos chocalhos
A esse entardecer
Não parecia os sinos duma capela pequenina
A que fossem à missa as flores e os regatos
E as almas simples como a minha.

XXXII

Yesterday afternoon a man from the city
Was talking at the door of the inn.
He also talked to me.
He spoke about justice and the struggle to attain justice
And about the workers who suffer,
And of their constant work, and about those who go hungry,
And about the rich, who turn their back on all this.

And, looking at me, he saw tears in my eyes
And smiled with pleasure, believing I felt
The hate he felt, and the compassion
He also claimed to feel.

(But I hardly heard him.
What do other men matter to me
And what they suffer or suppose they suffer?
Be like me—you won't suffer.
All the world's wrong arises from our worrying about each other,
As much to do good, as to do bad.
The earth, the sky and our own soul are enough.
To want more is to lose this and be unhappy).

What I was really thinking about
While the people's friend talked
(And it was this that moved me to tears),
Was the way in the distant mutter of cowbells
In the evening
Didn't seem like the bells from a small chapel,
For those attending mass were the flowers and streams
Together with simple souls like my own.

(Louvado seja Deus que não sou bom,
E tenho o egoísmo natural das flores
E dos rios que seguem o seu caminho
Preocupados sem o saber
Só com florir e ir correndo.
É essa a única missão no mundo,
Essa—existir claramente,
E saber fazê-lo sem pensar nisso.)

E o homem calara-se, olhando o poente.
Mas que tem com o poente quem odeia e ama?

(Praise be to God that I'm not good,
And have the natural egoism of the flowers
And the rivers that follow their course
Concerned without their knowing it
Only in blossoming and continuing to flow.
That is the only mission in this world,
Just that—to simply exist,
And know how to do it without thinking about it.)

And the man fell silent looking westward.
But what does the west matter to him who hates or loves?

XXXIII

Pobres das flores nos canteiros dos jardins regulares.
Parecem ter medo da polícia...
Mas tão certas que florescem do mesmo modo
E têm o mesmo colorido antigo
Que tiveram à solta para o primeiro olhar do primeiro homem
Que as viu aparecidas e lhes tocou levemente
Para as ver com os dedos...

XXXIII

Those poor potted plants in tidy gardens.
It's as if they live in fear of the police...
But are so true, that they blossom in the same way
And with the same ancient colouring
That they had for the first glance of the first man
Who saw them appear and gently stroked them
To see them with his fingers...

XXXIV

Acho tão natural que não se pense
Que me ponho a rir às vezes, sozinho,
Não sei bem de quê, mas é de qualquer cousa
Que tem que ver com haver gente que pensa...

Que pensará o meu muro da minha sombra?
Pergunto-me às vezes isto até dar por mim
A perguntar-me cousas...
E então desagrado-me, e incomodo-me
Como se desse por mim com um pé dormente...

Que pensará isto de aquilo?
Nada pensa nada.
Terá a terra consciência das pedras e plantas que tem?
Se ela tivesse, seria gente;
E se fosse gente tenha feitio de gente, não era a terra.
Que me importa isso a mim?
Se eu pensasse nessas cousas,
Deixava de ver as árvores e as plantas
E deixava de ver a Terra,
Para ver só os meus pensamentos...
Entristecia e ficava às escuras.
E assim, sem pensar, tenho a Terra e o Céu.

XXXIV

Not thinking seems so natural to me
That I sometimes laugh to myself,
I don't really know why, but it must have something to do
With the fact that there are people who think...

What does the wall think of my shadow?
At times I ask myself things until it surprises me
That I ask myself things...
And then feel bothered and put out
As if I'd become aware of a foot that's gone to sleep...

What does this think of that?
Nothing thinks of anything.
Does the earth have awareness of its stones and plants?
If it were aware, then it would be a person;
And if it were a person, it would be the act of a person, not the earth.
But what does that matter to me?
If I were to think about those things,
I would stop seeing the trees and the plants
And would stop seeing the Earth,
So as to see only my own thoughts...
I'd become sad and would be left in the dark.
And so, without thinking, I have both the Earth and Sky.

XXXV

O luar através dos altos ramos,
Dizem os poetas todos que ele é mais
Que o luar através dos altos ramos.

Mas para mim, que não sei o que penso,
O que o luar através dos altos ramos
É, além de ser
O luar através dos altos ramos,
É não ser mais
Que o luar através dos altos ramos.

XXXV

The moonlight through high branches,
By every poet is said to be more
Than the moonlight through high branches.

But to me, who doesn't know what they think,
What the moonlight through high branches
Is, besides being
The moonlight through high branches,
Is nothing more than
The moonlight through high branches.

XXXVI

E há poetas que são artistas
E trabalham nos seus versos
Como um carpinteiro nas tábuas!...

Que triste não saber florir!
Ter que pôr o verso sobre verso, como quem construi um muro
E ver se está bem, e tirar se não está!...

Quando a única casa artística é a Terra toda
Que varia e está sempre boa e é sempre a mesma.

Penso nisto, não como quem pensa, mas como quem não pensa,
E olho para as flores e sorrio...
Não sei se elas me compreendem
Nem se eu as compreendo a elas,
Mas sei que a verdade está nelas e em mim
E na nossa comum divindade
De nos deixarmos ir e viver pela Terra
E levar ao colo pelas Estações contentes
E deixar que o vento cante para adormecermos,
E não termos sonhos no nosso sono.

XXXVI

And there are poets who are also artists
Who put work into their verses
Like a carpenter with his wood!...

How sad not knowing how to blossom!
To have to measure out verse on verse, like someone building a wall
And check if it's okay and change it if it isn't!...

When the only artistic ground is the whole Earth
That varies and is always good and always the same.

I think this, not as someone who thinks, but as someone who doesn't think.
And I look at the flowers and smile...
Not knowing if they understand me
Nor if I understand them,
But I know that the truth is in them and in me
And in our shared divinity
That allows us to take our place on Earth
And gathers us in full arms through contented Seasons
And lets the wind sing us to our rest,
Without any dreams in our sleeping.

XXXVII

Como um grande borrão de fogo sujo
O sol-posto demora-se nas nuvens que ficam.
Vem um silvo vago de longe na tarde muito calma.
Deve ser dum comboio longínquo.

Neste momento vem-me uma vaga saudade
E um vago desejo plácido
Que aparece e desaparece.

Também às vezes, à flor dos ribeiros,
Formam-se bolhas na água
Que nascem e se desmancham
E não têm sentido nenhum
Salvo serem bolhas de água
Que nascem e se desmancham.

XXXVII

Like a huge smudge of filthy fire
Sunset lingers on in remaining clouds.
A far-off whistle sounds in the still afternoon.
Surely that of a distant train.

A vague yearning reaches me at this time
And a vaguely placid desire
That appears and disappears.

Just as, at times, on the surface of a stream,
The water puts forth bubbles
Which are born and unmade
And have no other meaning
Than that of being water-bubbles
Which are born and unmade.

XXXVIII

Bendito seja o mesmo sol de outras terras
Que faz meus irmãos todos os homens,
Porque todos os homens, um momento no dia, o olham como eu,
E nesse puro momento
Todo limpo e sensível
Regressam imperfeitamente
E com um suspiro que mal sentem
Ao Homem verdadeiro e primitivo
Que via o sol nascer e ainda o não adorava.
Porque isso é natural—mais natural
Que adorar o sol e depois Deus
E depois tudo o mais que não há.

XXXVIII

Blessed be this same sun on other lands
That unites me in brotherhood with all men,
Because all men, at some time of day, look at it like myself,
And in that pure moment
With a clear and tender feeling
They imperfectly return
With a sigh they hardly feel
To their true and primitive Self
That watched the sun being born and still didn't worship it.
Because that is natural—more natural
Than worshipping the sun or God
And after that all the other things which don't exist.

XXXIX

O mistério das cousas, onde está ele?
Onde está ele que não aparece
Pelo menos a mostrar-nos que é mistério?
Que sabe o rio disso e que sabe a árvore?
E eu, que não sou mais do que eles, que sei disso?
Sempre que olho para as cousas e penso no que os homens
    pensam delas,
Rio como um regato que soa fresco numa pedra.

Porque o único sentido oculto das cousas
É elas não terem sentido oculto nenhum.
É mais estranho do que todas as estranhezas
E do que os sonhos de todos os poetas
E os pensamentos de todos os filósofos,
Que as cousas sejam realmente o que parecem ser
E não haja nada que compreender.

Sim, eis o que os meus sentidos aprenderam sozinhos:—
As cousas não têm significação: têm existência.
As cousas são o único sentido oculto das cousas.

XXXIX

The mystery of things, where is it?
Where is it that it doesn't appear
At least to show us that it's a mystery?
What do the river and tree know about it?
And I, who am no more than they, what do I know?
Always when looking at things and considering what other men
think of them,
I laugh like a stream's fresh sound on a stone.

Because the only hidden meaning of things
Is that they have no hidden meaning.
That's the strangest thing of all,
Stranger than the dreams of all the poets
And the thoughts of all the philosophers,
That things really are what they seem to be
And that there is nothing to understand.

Yes, this is what my senses learned by themselves:—
Things don't have a meaning: they have existence.
Things are the only hidden meaning of things.

XL

Passa uma borboleta por diante de mim
E pela primeira vez no universo eu reparo
Que as borboletas não tem cor nem movimento,
Assim como as flores não têm perfume nem cor.
A cor é que tem cor nas asas da borboleta,
No movimento da borboleta o movimento é que se move,
O perfume é que tem perfume no perfume da flor.
A borboleta é apenas borboleta
E a flor é apenas flor.

XL

A butterfly passes before me
And for the first time in the universe I realise
That butterflies don't have colour or motion,
Just as flowers don't have scent or colour.
The colour is the colour that's in the butterfly's wings,
In the butterfly's motion is a motion that moves it,
The scent is the scent that there is in the flower's scent.
The butterfly is only a butterfly
And the flower only a flower.

XLI

No entardecer dos dias de Verão, às vezes,
Ainda que não haja brisa nenhuma, parece
Que passa, um momento, uma leve brisa...
Mas as árvores permanecem imóveis
Em todas as folhas das suas folhas
E os nossos sentidos tiveram uma ilusão,
Tiveram a ilusão do que lhes agradaria...

Ah, os nossos sentidos, os doentes que vêem e ouvem!
Fossemos nós como devíamos ser
E não haveria em nós necessidade de ilusão...
Bastar-nos-ia sentir com clareza e vida
E nem repararmos para que há sentidos...

Mas graças a Deus que há imperfeição no mundo
Porque a imperfeição é uma cousa,
E haver gente que erra é diferente,
E haver gente doente torna o mundo maior.
Se não houvesse imperfeição, havia uma cousa a menos,
E deve haver muita cousa
Para termos muito que ver e ouvir
(Enquanto os olhos e ouvidos se não fecham)...

XLI

Sometimes, as evening falls on Summer days,
Though there be no breeze at all, it seems
That for a moment, a gentle breeze goes by...
But the trees remain still
In every one of their leaves
And our senses have fallen for an illusion,
Have fallen for the illusion of something that pleases them...

Ah, the senses, the sickness of those who see and hear!
If we only were as we should be
And there didn't exist in us this need for illusion...
It would be enough for us to feel with clarity and life
And we wouldn't even consider why we have senses...

But God be thanked that there are imperfections in the world
Because imperfection is a thing,
And for people to make mistakes is different,
And for there to be sick people in the world makes it greater.
If there weren't imperfections in the world, there'd be one thing less,
And there have to be many things
For there to be much to see and hear
(While the eyes and ears remain open)...

XLII

Passou a diligência pela estrada, e foi-se;
E a estrada não ficou mais bela, nem sequer mais feia.
Assim é a acção humana pelo mundo fora.
Nada tiramos e nada pomos; passamos e esquecemos;
E o sol é sempre pontual todos os dias.

XLII

A coach came and went along the road;
And the road is left no more beautiful, nor any less attractive.
So is human activity throughout the world.
We add nothing and take nothing away; we pass on and are forgotten;
And the sun arrives punctual every day.

XLIII

Antes o voo da ave, que passa e não deixa rasto,
Que a passagem do animal, que fica lembrada no chão.
A ave passa e esquece, e assim deve ser.
O animal, onde já não está e por isso de nada serve,
Mostra que já esteve, o que não serve para nada.

A recordação é uma traição à Natureza,
Porque a Natureza de ontem não é Natureza.
O que foi não é nada, e lembrar é não ver.

Passa, ave, passa, e ensina-me a passar!

XLIII

Rather a bird's flight, which passes by without leaving a trace,
Than an animal's step, which remains printed in the earth.
The bird passes by and forgets, and so it should be.
The animal, where it no longer is and no longer serves a purpose,
Shows where it once was, something which no longer serves any purpose.

Remembrance is a betrayal of Nature,
Because yesterday's Nature is not Nature.
What was is nothing, and remembering is not seeing.

Pass by, bird, pass by, and teach me how to pass by!

XLIV

Acordo de noite subitamente,
E o meu relógio ocupa a noite toda.
Não sinto a Natureza lá fora.
O meu quarto é uma cousa escura com paredes vagamente brancas.
Lá fora há um sossego como se nada existisse.
Só o relógio prossegue o seu ruído.
E esta pequena cousa de engrenagens que está em cima da minha mesa
Abafa toda a existência da terra e do céu...
Quase que me perco a pensar o que isto significa,
Mas volto-me, e sinto-me sorrir na noite com os cantos da boca,
Porque a única cousa que o meu relógio simboliza ou significa
Enchendo com a sua pequenez a noite enorme
É a curiosa sensação de encher a noite enorme
Com a sua pequenez...
E esta sensação é curiosa porque só para mim é que ele enche a noite
Com a sua pequenez...

XLIV

I awake suddenly at night,
And my clock fills up the whole night.
I don't feel Nature outside.
My room is a dark thing with vaguely white walls.
Outside there is a stillness as if nothing existed.
Only the clock continues to sound.
And this small mechanical thing on my tabletop
Drowns out all that exists on heaven and earth...
I almost lose myself in thinking about what this means,
But come back and feel myself smile to the corners of my mouth in the night,
Because the only thing that my clock symbolises or means
Filling with its smallness the massive night
Is the curious feeling of its filling the massive night
With its smallness...
And this feels strange because only for me does it fill the night
With its smallness...

XLV

Um renque de árvores lá longe, lá para a encosta.
Mas o que é um renque de árvores? Há árvores apenas.
Renque e o plural árvores não são cousas, são nomes.

Tristes das almas humanas, que põem tudo em ordem,
Que traçam linhas de cousa a cousa,
Que põem letreiros com nomes nas árvores absolutamente reais,
E desenham paralelos de latitude e longitude
Sobre a própria terra inocente e mais verde e florida do que isso!

XLV

A ring of trees far off, there on the hillside.
But why a ring of trees? They're only trees.
Row and the plural trees aren't things, they're names.

The sadness of those human souls, who put everything in order,
Who trace lines between one thing and another,
Who put up lettered signs on the absolutely real trees,
And draw parallels of latitude and longitude
On the same innocent earth, greener and more abundant than this!

XLVI

Deste modo ou daquele modo,
Conforme calha ou não calha,
Podendo às vezes dizer o que penso,
E outras vezes dizendo-o mal e com misturas,
Vou escrevendo os meus versos sem querer,
Como se escrever não fosse uma cousa feita de gestos,
Como se escrever fosse uma cousa que me acontecesse
Como dar-me o sol de fora.

Procuro dizer o que sinto
Sem pensar em que o sinto.
Procuro encostar as palavras à ideia
E não precisar dum corredor
Do pensamento para as palavras.

Nem sempre consigo sentir o que sei que devo sentir.
O meu pensamento só muito devagar atravessa o rio nado a nado
Porque lhe pesa o fato que os homens o fizeram usar.

Procuro despir-me do que aprendi,
Procuro esquecer-me do modo de lembrar que me ensinaram,
E raspar a tinta com que me pintaram os sentidos,
Desencaixotar as minhas emoções verdadeiras,
Desembrulhar-me e ser eu, não Alberto Caeiro,
Mas um animal humano que a Natureza produziu.

E assim escrevo, querendo sentir a Natureza, nem sequer como um homem,
Mas como quem sente a Natureza, e mais nada.
E assim escrevo, ora bem, ora mal,
Ora acertando com o que quero dizer, ora errando,
Caindo aqui, levantando-me acolá,

XLVI

One way or another,
Depending on whether the moment is right or not,
Sometimes being able to say what I think,
And other times saying it badly and in a mangled way,
I go on writing my verses without wishing to,
As if writing isn't something that takes practise,
As if writing is something that just occurred to me
Like going out to take some sun.

I try to say what I feel
Without thinking about what I feel.
I try to fit the words to the idea
Without taking any detour
From the thought to the words.

I don't always manage to feel what I know I should feel.
My thought only crosses the river slowly as it swims
Because it's weighed down by the baggage others have loaded it with.

I try to strip away what I've learned,
I try to forget the manner in which I was taught to remember,
And rub off the dye that's been used to colour my senses,
To release my true emotions,
Unbind myself and be myself, not Alberto Caeiro,
But simply the human animal Nature produced.

And so I write, wanting to feel Nature, not even like a man,
But simply as someone who feels Nature and nothing more.
And so I write, sometimes well, sometimes badly,
Sometimes achieving what I want to say, sometimes straying from it,
Falling down here, picking myself up there,

Mas indo sempre no meu caminho como um cego teimoso.

Ainda assim, sou alguém.
Sou o Descobridor da Natureza.
Sou o Argonauta das sensações verdadeiras.
Trago ao Universo um novo Universo
Porque trago ao Universo ele-próprio.

Isto sinto e isto escrevo
Perfeitamente sabedor e sem que não veja
Que são cinco horas do amanhecer
E que o sol, que ainda não mostrou a cabeça
Por cima do muro do horizonte,
Ainda assim já se lhe vêem as pontas dos dedos
Agarrando o cimo do muro
Do horizonte cheio de montes baixos.

But always continuing on my way like someone who's blind and stubborn.

Even so, I am somebody.
I am Nature's Discoverer.
I'm the Argonaut of true emotions.
I bring to the Universe a new Universe
Because I bring to the Universe the Universe itself.

This I feel and write
Perfectly aware and without even seeing
That it's five o'clock in the morning,
And though the sun still hasn't raised its head
Above the wall of the horizon,
Even now its fingertips can be seen
Gripping the wall at its highest point
On the horizon of low mountains.

XLVII

Num dia excessivamente nítido,
Dia em que dava a vontade de ter trabalhado muito
Para nele não trabalhar nada,
Entrevi, como uma estrada por entre as árvores,
O que talvez seja o Grande Segredo,
Aquele Grande Mistério de que os poetas falsos falam.

Vi que não há Natureza,
Que Natureza não existe,
Que há montes, vales, planícies,
Que há árvores, flores, ervas,
Que há rios e pedras,
Mas que não há um todo a que isso pertença,
Que um conjunto real e verdadeiro
É uma doença das nossas ideias.

A Natureza é partes sem um todo.
Isto é talvez o tal mistério de que falam.

Foi isto o que sem pensar nem parar,
Acertei que devia ser a verdade
Que todos andam a achar e que não acham,
E que só eu, porque a não fui achar, achei.

XLVII

On an amazingly clear day,
A day on which you'd wished you'd worked hard
So as not to have to work at all,
I glimpsed, like a pathway between the trees,
What is perhaps the Great Secret,
The Great Mystery that the false poets speak of.

I saw that there is no Nature,
That Nature doesn't exist,
That there are mountains, valleys, plains,
That there are trees, flowers, grasses,
That there are rivers and stones,
But that there is no whole to which all of this belongs,
That a truly real sum of things
Is an illness in our way of thinking.

Nature is parts without a whole.
This is perhaps the mystery they speak of.

This is what, without thinking or stopping,
I found out to be the truth
Which everyone tries to seek out and fails to find,
And that only I, because I didn't seek to find, found.

XLVIII

Da mais alta janela da minha casa
Com um lenço branco digo adeus
Aos meus versos que partem para a humanidade.

E não estou alegre nem triste.
Esse é o destino dos versos.
Escrevi-os e devo mostrá-los a todos
Porque não posso fazer o contrário
Como a flor não pode esconder a cor,
Nem o rio esconder que corre,
Nem a árvore esconder que dá fruto.

Ei-los que vão já longe como que na diligência
E eu sem querer sinto pena
Como uma dor no corpo.

Quem sabe quem os lerá?
Quem sabe a que mãos irão?

Flor, colheu-me o meu destino para os olhos.
Árvore, arrancaram-me os frutos para as bocas.
Rio, o destino da minha água era não ficar em mim.
Submeto-me e sinto-me quase alegre,
Quase alegre como quem se cansa de estar triste.

Ide, ide de mim!
Passa a árvore e fica dispersa pela Natureza.
Murcha a flor e o seu pó dura sempre.
Corre o rio e entra no mar e a sua água é sempre a que foi sua.

Passo e fico, como o Universo.

XLVIII

From the highest window of my house
With a white handkerchief I wave goodbye
To my verses which go out toward humanity.

And I am neither happy nor sad.
That's the destiny of verses.
I wrote them and must show them to everyone
Because I cannot do otherwise
Just as a flower cannot hide its colour,
Nor the river hide its flow,
Nor a tree hide the fruit that it gives.

As if coach-bound I already see them from afar
And without wishing to I suffer,
Like a bodily pain.

Who knows who will read them?
Who knows whose hands they will reach?

Flower, my fortune was to be gathered for other eyes.
Tree, my fruit was to be plucked for other mouths.
River, my water's destiny was not to remain with me.
I resign myself feeling almost happy,
Almost happy like someone who tires of feeling sad.

They go out, they go out from me!
The tree falls and lives on in Nature.
The flower withers and its dust endures forever.
The river flows on and enters the sea and its waters are always its own.

I pass on and remain, like the Universe.

XLIX

Meto-me para dentro, e fecho a janela.
Trazem o candeeiro e dão as boas-noites,
E a minha voz contente dá as boas-noites.
Oxalá a minha vida seja sempre isto:
O dia cheio de sol, ou suave de chuva,
Ou tempestuoso como se acabasse o mundo,
A tarde suave e os ranchos que passam
Fitados com interesse da janela,
O último olhar amigo dado ao sossego das árvores,
E depois, fechada a janela, o candeeiro aceso,
Sem ler nada, nem pensar em nada, nem dormir,
Sentir a vida correr por mim como um rio por seu leito,
E lá fora um grande silêncio como um deus que dorme.

XLIX

I go inside and close my window.
They bring me a candleholder and bid me goodnight,
And in my contented voice I bid them goodnight.
Would that my life were always this way:
The day full of sun, or soft with rain,
Or stormy as if the world were about to end,
The soft afternoon and the groups in passing
Framed in all their interest by my window,
A final friendly look given to the stillness in the trees,
And afterwards, the window closed and candles alight,
Without reading or thinking of anything, nor sleeping,
Feel life course through me like a river through its bed,
And outside great silence as if a god slept.

O Pastor Amoroso

The Shepherd in Love

I

Quando eu não te tinha
Amava a Natureza como um monge calmo a Cristo...
Agora amo a Natureza
Como um monge calmo à Virgem Maria,
Religiosamente, a meu modo, como dantes,
Mas de outra maneira mais comovida e próxima.
Vejo melhor os rios quando vou contigo
Pelos campos até à beira dos rios;
Sentado a teu lado reparando nas nuvens
Reparo nelas melhor...
Tu não me tiraste a Natureza...
Tu não me mudaste a Natureza...
Trouxeste-me a Natureza para ao pé de mim.
Por tu existires vejo-a melhor, mas a mesma,
Por tu me amares, amo-a do mesmo modo, mas mais,
Por tu me escolheres para te ter e te amar,
Os meus olhos fitaram-na mais demoradamente sobre todas as cousas.

Não me arrependo do que fui outrora
Porque ainda o sou.
Só me arrependo de outrora te não ter amado.
Põe as tuas mãos entre as minhas mãos
E deixa que nos calemos acerca da vida.

I

Before I knew you
I loved Nature like one of Christ's peaceful monks...
Now I love Nature
Like one of the Virgin's peaceful monks,
Religiously, in my own way, as before,
But in a manner at once more moving and immediate.
I make out the rivers better when I walk with you
Over the fields right up to the river-bank;
Observing the clouds while sitting beside you
I make them out better...
You didn't take Nature away from me...
You didn't change Nature for me...
You brought Nature closer to me.
Through you I see it in the same way, only better,
By loving you I love it in the same way, only more,
Having chosen me to have and to love you,
My eyes look on everything in a slower, more beautiful way.

I don't regret having been who I once was
Because I remain so.
I only regret not having loved you before.
Put your hands in mine
And let's go silent over life.

II

Vai alta no céu a lua da primavera.
Penso em ti e dentro de mim estou completo.

Corre pelos vagos campos até mim uma brisa ligeira.
Penso em ti, murmuro o teu nome e não sou eu: sou feliz.

Amanhã virás, andarás comigo a colher flores pelos campos,
E eu andarei contigo pelos campos a ver-te colher flores.

Eu já te vejo amanhã a colher flores comigo pelos campos,
Mas quando vieres amanhã e andares comigo realmente a
    colher flores,
Isso será uma alegria e uma novidade para mim.

II

A spring moon has stepped up the sky.
I think of you and within myself am whole.

A gentle breeze reaches me from the dwindling fields.
I think of you, murmur your name and I am not I: I am happy.

Tomorrow you'll come, you'll walk with me picking flowers through the fields,
And I'll walk with you through the fields watching you pick flowers.

I already see you picking flowers with me through the fields tomorrow,
But when you come tomorrow and really walk with me through the
fields picking flowers,
It will be a joy and a novelty to me.

III

E tudo é belo porque tu és bela
(And all looks lovely in thy loveliness)

Agora que sinto amor
Tenho interesse no que cheira.
Nunca antes me interessou que uma flor tivesse cheiro.
Agora sinto o perfume das flores como se visse uma coisa nova.
Sei bem que elas cheiravam, como sei que existia.
São coisas que se sabem por fora.
Mas agora sei com a respiração da parte de trás da cabeça.
Hoje as flores sabem-me bem num paladar que se cheira.
Hoje às vezes acordo e cheiro antes de ver.

III

And all looks lovely in thy loveliness
(And all looks lovely in thy loveliness)

Now I feel love
I'm interested in how things smell.
A flower's scent never interested me before.
Now I experience the fragrance of flowers as if it were something new.
I knew they had scent, as I knew they existed.
These are things that are known from without.
But now I know it by a breath that comes from the back of my head.
Today I know flowers by their joyful scent.
Today I awake and sometimes smell before seeing.

IV

Todos os dias agora acordo com alegria e pena.
Antigamente acordava sem sensação nenhuma; acordava.
Tenho alegria e pena porque perco o que sonho
E posso estar na realidade onde está o que sonho.
Não sei o que hei-de fazer das minhas sensações,
Não sei o que hei-de ser comigo.
Quero que ela me diga qualquer coisa para eu acordar de novo.

Quem ama é diferente de quem é.
É a mesma pessoa sem ninguém.

IV

Every day now I wake up feeling joy and sorrow.
Before I used to wake up without feeling anything; I simply awoke.
I feel joy and sorrow because what I dream is lost
And I can be in the reality where my dream really is.
I don't know what to do with these feelings.
I don't know how to be alone with myself.
I want her to speak to me so I can awake once more.

Whoever loves is different from themselves.
It's the same person without anybody.

V

O amor é uma companhia.
Já não sei andar só pelos caminhos,
Porque já não posso andar só.
Um pensamento visível faz-me andar mais depressa
E ver menos, e ao mesmo tempo gostar bem de ir vendo tudo.
Mesmo a ausência dela é uma coisa que está comigo.
E eu gosto tanto dela que não sei como a desejar.
Se a não vejo, imagino-a e sou forte como as árvores altas.
Mas se a vejo tremo, não sei o que é feito do que sinto na
  ausência dela.
Todo eu sou qualquer força que me abandona.
Toda a realidade olha para mim como um girassol com a cara dela no meio.

V

To love is to be in company.
Already I don't know how to walk the paths by myself,
Because I can no longer walk by myself.
A visible thought makes me walk more quickly
And see less, while enjoying all that can be seen.
Even her absence is something that is with me
And I enjoy it so much that I don't know how to desire her.
If I don't see her, I imagine her and feel as strong as the high trees.
But if I see her I tremble, don't know what to make of these
 feelings in her absence.
All the force I have totally abandons me.
The whole of reality looks toward me as at the sunflower's upturned face.

VI

Passei toda a noite, sem saber dormir, vendo sem espaço a figura dela
E vendo-a sempre de maneiras diferentes do que a
encontro a ela.
Faço pensamentos com a recordação do que ela é quando me fala,
E em cada pensamento ela varia de acordo com a sua semelhança.
Amar é pensar.
E eu quase que me esqueço de sentir só de pensar nela.
Não sei bem o que quero, mesmo dela, e eu não penso
senão nela.
Tenho uma grande distracção animada.
Quando desejo encontrá-la,
Quase que prefiro não a encontrar,
Para não ter que a deixar depois.
E prefiro pensar dela, porque dela como é tenho qualquer medo.
Não sei bem o que quero, nem quero saber o que quero.
Quero só pensar ela.
Não peço nada a ninguém, nem a ela, senão pensar.

VI

I spent the whole night without sleeping, with her figure continually before me
And seeing her always in a different way to that which I find when
    meeting her.
My thoughts are taken up with the memory of how she speaks to me,
And every thought of mine is a variation in her likeness.
To love is to think.
I have almost forgotten what it is to feel for thinking only of her.
I really don't know what I want, even from her, and I think of
    nothing else but her.
I have a great animated distraction.
When I want to meet her,
I almost prefer not to meet her,
So as to avoid then having to leave her.
And I prefer to think of her because I have a certain fear of how she'll be.
I don't know what I want, nor want to know what I want.
I only want to think of her.
I ask nothing of anyone, even her, only to think.

VII

Talvez quem vê bem não sirva para sentir
E não agrade por estar muito antes das maneiras.
É preciso ter modos para todas as cousas,
E cada cousa tem o seu modo, e o amor também.
Quem tem o modo de ver os campos pelas ervas
Não deve ter a cegueira que faz fazer sentir.
Amei, e não fui amado, o que só vi no fim,
Porque não se é amado como se nasce mas como acontece.
Ela continua tão bonita de cabelo e boca como dantes,
E eu continuo como era dantes, sozinho no campo.
Como se tivesse estado de cabeça baixa,
Penso isto, e fico de cabeça alta
E o dourado sol seca a vontade de lágrimas que não posso deixar de ter.
Como o campo é grande e o amor pequeno!
Olho, e esqueço, como seca onde foi água e nas árvores
    desfolha.

Eu não sei falar porque estou a sentir.
Estou a escutar a minha voz como se fosse de outra pessoa,
E a minha voz fala dela como se ela é que falasse.
Tem o cabelo de um louro amarelo de trigo ao sol claro,
E a boca quando fala diz cousas que não há nas palavras.
Sorri, e os dentes são limpos como pedras do rio.

VII

Perhaps the sharp-sighted aren't so good where feelings are concerned
And don't like falling in with the usual way of doing things.
A certain manner is necessary for all things,
And each thing has its own manner, including love.
Whoever's manner it is to look out across the fields
Shouldn't be blinded by their own feelings.
I loved and wasn't loved in return, only realised in the end,
Because we aren't loved as we love but only as it turns out.
Her hair and mouth are as beautiful as ever,
And I'm still the same, alone in the country.
As if my head were cast down
I think this, only with my head held high
And the sun dries up any urge to cry I cannot help feeling.
How big the countryside is and how small love is!
I look and forget, just as water dries from the ground and as trees
    shed their leaves.

I don't know how to speak because I'm feeling.
I'm listening to my voice as if it were someone else's,
And my voice speaks of her as if she were talking.
Her hair is the light gold of wheat beneath the sun,
And when she speaks her mouth says things that aren't just words.
She smiles and her teeth are clean as river stones.

VIII

O pastor amoroso perdeu o cajado,
E as ovelhas tresmalharam-se pela encosta,
E, de tanto pensar, nem tocou a flauta que trouxe
para tocar.
Ninguém lhe apareceu ou desapareceu... Nunca mais encontrou o cajado.
Outros, praguejando contra ele, recolheram-lhe as ovelhas.
Ninguém o tinha amado, afinal.
Quando se ergueu da encosta e da verdade falsa, viu tudo:
Os grandes vales cheios dos mesmos vários verdes de sempre,
As grandes montanhas longe, mais reais que qualquer sentimento,
A realidade toda, com o céu e o ar e os campos que existem,
(E de novo o ar, que lhe faltara tanto tempo, lhe entrou fresco nos pulmões)
E sentiu que de novo o ar lhe abria, mas com dor, uma
liberdade no peito.

Mas isto são maneiras de dizer,
Que ainda trazem engano nas frases.
Eu era só, eu fiquei só, eis tudo.

VIII

The shepherd in love lost his staff,
And his sheep wandered astray over the hillside,
And, from thinking so much, he didn't play the flute that he'd brought
along to play.
Nothing appeared or disappeared for him... He never found his staff again.
Others, pouring abuse on him, recovered his sheep.
In the end, nobody loved him.
When he surmounted the hillside and his own false truth, he saw it all:
The huge valleys full of their usual varying greens,
The huge far-off mountains, more real than any feeling,
The whole of reality, with the sky, the air and the fields that exist,
(And once again the air, missing for so long, freshly entered his lungs)
And once again he felt how the air released, albeit painfully,
freedom in his breast.

But this is just a way of speaking,
And even this falsifies what's being said.
He was alone, continued alone, that's all.

Fragmentos

Fragments

Quem tem as flores não precisa de Deus.

Whoever has flowers has no need of God.

E tudo o que se sente directamente traz palavras suas.

And everything that's felt directly calls up new words.

Diferente de tudo, como tudo.

Different from everything, as everything is.

Poemas Inconjuntos

Detached Poems

Para além da curva da estrada
Talvez haja um poço, e talvez um castelo,
E talvez apenas a continuação da estrada.
Não sei nem pergunto.
Enquanto vou na estrada antes da curva
Só olho para a estrada antes da curva,
Porque não posso ver senão a estrada antes da curva.
De nada me serviria estar olhando para outro lado
E para aquilo que não vejo.
Importemo-nos apenas com o lugar onde estamos.
Há beleza bastante em estar aqui e não noutra parte qualquer.
Se há alguém para além da curva da estrada,
Esses que se preocupem com o que há para além da curva da estrada.
Essa é que é a estrada para eles.
Se nós tivermos que chegar lá, quando lá chegarmos saberemos.
Por ora só sabemos que lá não estamos.
Aqui há só a estrada antes da curva, e antes da curva
Há a estrada sem curva nenhuma.

Beyond the bend in the path
Maybe there's a well, maybe a castle,
Or maybe the path just continues.
I don't know nor ask.
While travelling the path before the bend
I only watch the path before the bend,
Because I can't see anything except the path before the bend.
It wouldn't help me to look at it any other way
And the way, I just don't see it.
The only place that matters is where we are.
There's enough beauty in being here and nowhere else.
If there's anyone beyond the bend in the path,
Let them worry about what lies beyond the bend in the path.
That's their path.
If we're meant to arrive there, then we'll know when we've arrived there.
For now we only know we're not there.
Here, there's only a path before the bend, and before the bend
The path without any bend.

Passar a limpo a Matéria
Repor no seu lugar as cousas que os homens desarrumaram
Por não perceberem para que serviam
Endireitar, como uma boa dona de casa da Realidade,
As cortinas nas janelas da Sensação
E os capachos às portas da Percepção
Varrer os quartos da observação
E limpar o pó das ideias simples...
Eis a minha vida, verso a verso.

So I pass cleanly to Matter
To restore in its rightful place what mankind has disarranged
For its true purpose wasn't noticed.
I straighten out, like Reality's good housewife,
The curtains in the windows of Sensation
The doormats at the doors of Perception
And sweep the rooms of observation
Cleaning the dust off of simple ideas...
This is my life, from verse to verse.

O que vale a minha vida? No fim (não sei que fim)
Um diz: ganhei trezentos contos,
Outro diz: tive três mil dias de glória,
Outro diz: estive bem com a minha consciência e isso é bastante...
E eu, se lá aparecerem e me perguntarem o que fiz,
Direi: olhei para as cousas e mais nada.
E por isso trago aqui o Universo dentro da algibeira.
E se Deus me perguntar: e o que viste tu nas cousas?
Respondo: apenas as cousas... Tu não puseste lá mais nada.
E Deus, que é da mesma opinião, fará de mim uma nova espécie de santo.

What is my life worth? In the end (I don't know the end)
One says: I gained three hundred stories,
Another says: I enjoyed three thousand glorious days,
Another says: all is well by my conscience and that's enough...
And myself, if they appear and ask me what I did,
I'll say: I did nothing else but look at things.
And so I carry the Universe here inside my pocket.
And if God wonders: and what did you see in things?
I'll answer: just things... You didn't put anything else there.
And God, who shares the same view, will make me into a new kind of saint.

A espantosa realidade das coisas
É a minha descoberta de todos os dias.
Cada coisa é o que é,
E é difícil explicar a alguém quanto isso me alegra,
E quanto isso me basta.

Basta existir para se ser completo.

Tenho escrito bastantes poemas.
Hei-de escrever muitos mais, naturalmente.
Cada poema meu diz isto,
E todos os meus poemas são diferentes,
Porque cada coisa que há é uma maneira de dizer isto.

Às vezes ponho-me a olhar para uma pedra.
Não me ponho a pensar se ela sente.
Não me perco a chamar-lhe minha irmã.
Mas gosto dela por ela ser uma pedra,
Gosto dela porque ela não sente nada,
Gosto dela porque ela não tem parentesco nenhum comigo.

Outras vezes oiço passar o vento,
E acho que só para ouvir passar o vento vale a pena ter nascido.

Eu não sei o que é que os outros pensarão lendo isto;
Mas acho que isto deve estar bem porque o penso sem esforço
Nem ideia de outras pessoas a ouvir-me pensar;
Porque o penso sem pensamentos,
Porque o digo como as minhas palavras o dizem.

Uma vez chamaram-me poeta materialista,

The shocking reality of things
Is my daily discovery.
Everything is what it is,
And it's difficult to explain how much joy that gives me,
And how much that satisfies me.

To exist is enough to be complete.

I have written many poems.
I have to write many more, naturally.
Every poem of mine tells me so,
And all of my poems are different,
Because everything there is has a different way of saying this.

Sometimes I begin to watch a stone.
I don't begin to wonder if it feels.
I don't get muddled by calling it my sister.
I like it because it is a stone,
I like it because it feels nothing,
I like it because it bears no relation to me.

Other times I listen to the wind go by,
And it seems just to hear the wind go by it was worth being born.

I don't know what others will think reading this;
But it seems this must be right because I think it without effort
With no idea that others hear my thoughts;
Because I think it without thinking,
Because I say it as my words would have it.

They called me a materialist poet once,

E eu admirei-me, porque não julgava
Que se me pudesse chamar qualquer coisa.
Eu nem sequer sou poeta: vejo.
Se o que o escrevo tem valor, não sou eu que o tenho:
O valor está ali, nos meus versos.
Tudo isso é absolutamente independente da minha vontade.

⁕

And this surprised me, as I didn't believe
They could call me any such thing.
I'm not even a poet: I simply see.
If what I write has value, that value is not in me:
The value is there, in those verses.
All of this is completely independent of my will.

※

Quando tornar a vir a primavera
Talvez já não me encontre no mundo.
Gostava agora de poder julgar que a primavera é gente
Para poder supor que ela choraria,
Vendo que perdera o seu único amigo.
Mas a primavera nem sequer é uma coisa:
É uma maneira de dizer.
Nem mesmo as flores tornam, ou as folhas verdes.
Há novas flores, novas folhas verdes.
Há outros dias suaves.
Nada torna, nada se repete, porque tudo é real.

When the spring returns once more
Perhaps it won't find me in the world.
I'd like to be able to say the spring is a person
So I might suppose it would cry,
To see it had lost its only friend.
But the spring isn't even a thing:
It's only a way of speaking.
Not even the flowers return, or the green leaves.
There are new flowers, new green leaves.
Other soft days follow.
Nothing returns, nothing is repeated, because everything is real.

Se eu morrer novo,
Sem poder publicar livro nenhum,
Sem ver a cara que têm os meus versos em letra impressa,
Peço que, se se quiserem ralar por minha causa,
Que não se ralem.
Se assim aconteceu, assim está certo.

Mesmo que os meus versos nunca sejam impressos,
Eles lá terão a sua beleza, se forem belos.
Mas eles não podem ser belos e ficar por imprimir,
Porque as raízes podem estar debaixo da terra
Mas as flores florescem ao ar livre e à vista.
Tem que ser assim por força. Nada o pode impedir.

Se eu morrer muito novo, oiçam isto:
Nunca fui senão uma criança que brincava.
Fui gentio como o sol e a água,
De uma religião universal que só os homens não têm.
Fui feliz porque não pedi coisa nenhuma,
Nem procurei achar nada,
Nem achei que houvesse mais explicação
Que a palavra explicação não ter sentido nenhum.

Não desejei senão estar ao sol ou à chuva—
Ao sol quando havia sol
E à chuva quando estava chovendo
(E nunca a outra coisa),
Sentir calor e frio e vento,
E não ir mais longe.

Uma vez amei, julguei que me amariam,

If I die young,
Without having the chance to publish any book,
Without seeing the character of my verses in print,
I ask that, if they should want to grieve for me,
For them not to grieve.
If this should happen, all would be well.

Even if my verses were never printed,
They'd still have their beauty, if they were beautiful.
But they can't be beautiful and remain unprinted,
Because roots stay hidden beneath the earth
But flowers blossom freely in the sight of all.
It has to be this way perforce. Nothing can stop it.

If I die very young, hear this:
I was never more than a child who played.
I was pagan like the sun and the water,
Of a universal religion that only men do not possess.
I was happy because I asked for nothing,
Nor did I try to find anything,
Or believe that there was any further explanation
Other than that the word explanation has no meaning.

I only wanted to be under the sun or the rain—
The sun when it was sunny
And the rain when it was raining
(And never anything else),
To feel heat and cold and wind,
And not go any further.

I loved once, believed myself loved in return,

Mas não fui amado.
Não fui amado pela única grande razão—
Porque não tinha que ser.

Consolei-me voltando ao sol e à chuva,
E sentando-me outra vez à porta de casa.
Os campos, afinal, não são tão verdes para os que são amados
Como para os que o não são.
Sentir é estar distraído.

⁂

But I wasn't loved.
I wasn't loved for the only great reason—
Because it didn't have to be.

I consoled myself by returning to the sun and the rain,
And by sitting in the doorway of my house once more.
The fields, after all, are not so green to those who are loved
As to those who aren't.
To feel is to be distracted.

※

Quando vier a primavera,
Se eu já estiver morto,
As flores florirão da mesma maneira
E as árvores não serão menos verdes que na primavera passada.
A realidade não precisa de mim.

Sinto uma alegria enorme
Ao pensar que a minha morte não tem importância nenhuma.

Se soubesse que amanhã morria
E a primavera era depois de amanhã,
Morreria contente, porque ela era depois de amanhã.
Se esse é o seu tempo, quando havia ela de vir senão no seu tempo?
Gosto que tudo seja real e que tudo esteja certo;
E gosto porque assim seria, mesmo que eu não gostasse.
Por isso, se morrer agora, morro contente,
Porque tudo é real e tudo está certo.

Podem rezar latim sobre o meu caixão, se quiserem.
Se quiserem, podem dançar e cantar à roda dele.
Não tenho preferências para quando já não puder
    ter preferências.
O que for, quando for, é que será o que é.

When the spring arrives,
If I should be dead by then,
The flowers will blossom in the same way
And the trees won't be any less green than last spring.
Reality has no need of me.

I feel a great joy
In thinking that my death hasn't the least importance.

If I knew I was to die tomorrow
And spring was to arrive the day after tomorrow,
I'd die content, knowing the spring was to arrive the day after tomorrow.
If that should be its hour, when else should it arrive but in its hour?
I like it that everything is real and everything is right;
And like it because that's the way it would be, even if I didn't like it.
And so, if I were to die now, I'd die content,
Because everything is real and everything is right.

They can say prayers in Latin over my coffin if they want.
They can sing and dance around it if they want.
I have no preferences for a time when it's no longer possible to
    have preferences.
Whatever it is, whenever it is, it will be what it is.

Se, depois de eu morrer, quiserem escrever a minha biografia,
Não há nada mais simples.
Tem só duas datas—a da minha nascença e a da minha morte.
Entre uma e outra cousa todos os dias são meus.

Sou fácil de definir.
Vi como um damnado.
Amei as coisas sem sentimentalidade nenhuma.
Nunca tive um desejo que não pudesse realizar, porque nunca ceguei.
Mesmo ouvir nunca foi para mim senão um acompanhamento de ver.
Compreendi que as coisas são reais e todas diferentes umas das outras;
Compreendi isto com os olhos, nunca com o pensamento.
Compreender isto com o pensamento seria achá-las todas iguais.

Um dia deu-me o sono como a qualquer criança.
Fechei os olhos e dormi.
Além disso, fui o único poeta da Natureza.

If, after my death, they want to write my biography,
There's nothing simpler.
There are only two dates—that of my birth and of my death.
Between one and the other all the days are mine.

I am easy to define.
I saw like the condemned.
I loved things without the least sentimentality.
I never had a wish that couldn't be fulfilled because my sight never failed.
Hearing was never more to me than an accompaniment of seeing.
I understood that all things are real and different from each other;
I understood this with my eyes, never with my thoughts.
To understand it with my thoughts would be to make all things equal.

One day tiredness overtook me like any other child.
I closed my eyes and slept.
Apart from this, I was the only Nature poet.

Nunca sei como é que se pode achar um poente triste.
Só se é por um poente não ser uma madrugada.
Mas se ele é um poente, como é que ele havia de ser uma madrugada?

I never understand how a sunset can seem sad.
If it's simply because a sunset isn't a dawn.
But if it's a sunset, then how could it be a dawn?

Um dia de chuva é tão belo como um dia de sol.
Ambos existem, cada um como é.

A rainy day is as beautiful as a sunny day.
They both exist, each one as it is.

Quando a erva crescer em cima da minha sepultura,
Seja esse o sinal para me esquecerem de todo.
A Natureza nunca se recorda, e por isso é bela.
E se tiverem a necessidade doentia de «interpretar» a erva verde
sobre a minha sepultura,
Digam que eu continuo a verdecer e a ser natural.

When the grass grows over my grave,
This will be the sign I've been completely forgotten.
Nature never remembers and is beautiful for that reason.
And if they should feel the unhealthy need to "interpret" the green
grass on my grave,
Let it be said I continue to flourish in my own natural way.

É noite. A noite é muito escura. Numa casa a uma grande distância
Brilha a luz duma janela.
Vejo-a, e sinto-me humano dos pés à cabeça.
É curioso que toda a vida do indivíduo que ali mora,
    e que não sei quem é,
Atrai-me só por essa luz vista de longe.
Sem dúvida que a vida dele é real e ele tem cara, gestos, família
    e profissão.
Mas agora só me importa a luz da janela dele.
Apesar de a luz estar ali por ele a ter acendido,
A luz é a realidade imediata que está defronte de mim.
Eu nunca passo para além da realidade imediata.
Para além da realidade imediata não há nada.
Se eu, de onde estou, só vejo aquela luz,
Em relação à distância onde estou há só aquela luz.
O homem e a família dele são reais do lado de lá da janela.
Eu estou do lado de cá, a uma grande distância.
A luz apagou-se.
Que me importa que o homem continue a existir?
É só ele que continua a existir.

It is night. The night is very dark. In a house at a great distance
A light glows in a window.
I see it and feel human from head to foot.
It's curious that the whole life of the individual who lives there,
and who I don't know,
Draws me only by that light seen from afar.
Without doubt his life is real and he has a face, mannerisms, family
and profession.
But for now only the light in his window matters to me.
Even though the light is there because he has turned it on,
The light is the immediate reality before me.
I never go beyond immediate reality.
Beyond immediate reality there is nothing at all.
If I, from where I am, see only that light,
In relation to the distance from me there is only that light.
The man and his family are real on the other side of the window.
I am on this side, at a great distance.
The light goes out.
What does it matter to me that the man continues to exist?
He only continues existing.

Falas de civilização, e de não dever ser,
Ou de não dever ser assim.
Dizes que todos sofrem, ou a maioria de todos,
Com as cousas humanas postas desta maneira.
Dizes que se fossem diferentes, sofreriam menos.
Dizes que se fossem como tu queres, seria
    melhor.
Escuto sem te ouvir.
Para quê te quereria eu ouvir?
Ouvindo-te nada ficaria sabendo.
Se as cousas fossem diferentes, seriam diferentes: eis tudo.
Se as cousas fossem como tu queres, seriam só como
    tu queres.
Ai de ti e de todos que levam a vida
A querer inventar a máquina de fazer felicidade!

You talk about civilisation and about what shouldn't be,
About what shouldn't be the way it is.
You say that everyone suffers, or the majority do,
By the way in which human affairs are worked out.
You say that if they were different, then we'd suffer less.
You say that if they were how you'd like them to be, things
would be better.
I listen without hearing you.
Why would I want to hear you?
Hearing you, I'd end up not knowing anything.
If things were different, they'd be different: that's all.
If things were how you'd like them to be, they'd only be how
you'd like them to be.
O you and all those who go through life
Wishing to invent a machine that creates happiness!

Todas as teorias, todos os poemas
Duram mais que esta flor,
Mas isso é como o nevoeiro, que é desagradável e húmido,
E mais que esta flor...
O tamanho ou duração não têm importância nenhuma...
São apenas tamanho e duração...
O que importa é aquilo que dura e tem tamanho
(Se verdadeira dimensão é a realidade)...
Ser real é a única cousa verdadeira do mundo.

All theories, all poems
Last longer than this flower,
But that's like mist, which is uncomfortable and damp,
And larger than this flower...
The size and lastingness aren't important...
They're only size and lastingness...
What matters is that the flower lasts and has size
(If reality is the true dimension of things)...
Being real is the only true thing in the world.

Medo da morte?
Acordarei de outra maneira,
Talvez corpo, talvez continuidade, talvez renovado,
Mas acordarei.
Se até os átomos não dormem, por que hei-de ser eu só a dormir?

Fear of death?
I'll awake in some other way,
Perhaps bodily, perhaps as before, perhaps made new,
But I'll awake.
If the atoms I'm bound to don't rest, then why should I remain at rest?

Então os meus versos têm sentido e o universo não há-de ter sentido?
Em que geometria é que a parte excede o todo?
Em que biologia é que o volume dos órgãos
Tem mais vida que o corpo?

Does my verse make sense if the universe doesn't make sense?
In geometry does a part exceed the whole?
In biology does the function of the organs
Have more life than the body?

Leram-me hoje S. Francisco de Assis.
Leram-me e pasmei.
Como é que um homem que gostava tanto de cousas
Nunca olhava para elas, não sabia o que elas eram?

Para que hei-de chamar minha irmã à água, se ela não é minha irmã?
Para a sentir melhor?
Sinto-a melhor bebendo-a do que chamando-lhe qualquer cousa—
Irmã, ou mãe, ou filha.
A água é a água e é bela por isso.
Se eu lhe chamar minha irmã,
Ao chamar-lhe minha irmã, vejo que o não é
E que se ela é a água o melhor é chamar-lhe água;
Ou, melhor ainda, não lhe chamar cousa nenhuma,
Mas bebê-la, senti-la nos pulsos, olhar para ela
E tudo isto sem nome nenhum.

Today they read to me about St. Francis of Assisi.
What they read astonished me.
How could a man who loved things so much
Never look at them, nor know what they were?

Why call water my sister if it isn't my sister?
To feel it better?
I feel it better in drinking it than by calling it anything—
Sister, mother, or daughter.
Water is water and that's why it's beautiful.
In calling it my sister,
I see that it isn't my sister
And if it's water then it's best to call it water;
Or, better still, not call it anything,
But drink it, feel it on the wrists, look at it
And all without any name at all.

Sempre que penso uma cousa, traio-a.
Só tendo-a diante de mim devo pensar nela,
Não pensando, mas vendo,
Não com o pensamento, mas com os olhos.
Uma cousa que é visível existe para se ver,
E o que existe para os olhos não tem que existir para o pensamento;
Só existe directamente para os olhos e não para o pensamento.

Olho, e as cousas existem.
Penso e existo só eu.

Whenever I think about a thing, I betray it.
Only having it before me should I think about it,
Not in thinking, but by seeing,
Not with my thoughts, but with my eyes.
A thing that's visible exists to be seen,
And what exists for the eyes doesn't have to exist for thought;
Only truly exists for the eyes and not for thought.

I look, and things exist.
I think and only I exist.

Eu queria ter o tempo e o sossego suficientes
Para não pensar em cousa nenhuma,
Para nem me sentir viver,
Para só saber de mim nos olhos dos outros, reflectido.

I'd like to have the time and calmness
To not think of anything,
Nor feel myself live,
Only know myself through the reflection in others' eyes.

A manhã raia. Não: a manhã não raia.
A manhã é uma cousa abstracta, está não é uma cousa.
Começamos a ver o sol, a esta hora, aqui.
Se o sol matutino dando nas árvores é belo,
É tão belo se chamarmos à manhã «começarmos a ver o sol»
Como o é se lhe chamarmos a manhã;
Por isso não há vantagem em pôr nomes errados às cousas,
Nem mesmo em lhe pôr nomes alguns.

Morning breaks. No: morning doesn't break.
Morning is something abstract, that is, it isn't a thing.
The sun appears, at this hour, here.
If the morning light on the trees is beautiful,
It's just as beautiful if we call morning "the sun appears"
Than it is if we call it morning;
So if there's no gain in falsely naming things,
We shouldn't name them at all.

A criança que pensa em fadas e acredita nas fadas
Age como um deus doente, mas como um deus.
Porque embora afirme que existe o que não existe,
Sabe como é que as cousas existem, que é existindo,
Sabe que existir existe e não se explica,
Sabe que não há razão nenhuma para nada existir,
Sabe que ser é estar em um ponto.
Só não sabe que o pensamento não é um ponto qualquer.

The child who thinks of fairies and believes in fairies
Behaves like a sick god, but still like a god.
Because though they claim something exists that doesn't exist,
They know how things exist, by existing,
Know existing is to exist and can't be explained,
Know there is no reason for anything to exist,
Know that to be involves being in a place.
What they don't know is that thinking is not to be anywhere.

De longe vejo passar no rio um navio...
Vai Tejo abaixo indiferentemente.
Mas não é indiferentemente por não se importar comigo
E eu não exprimir desolação com isto...
É indiferentemente por não ter sentido nenhum
Exterior ao facto isoladamente navio
De ir rio abaixo sem licença da metafísica...
Rio abaixo até à realidade do mar.

From afar I see a ship go by...
Drift indifferently down the river Tagus.
Indifferent not for paying me no attention,
I don't feel distressed by that...
It's indifferent because it has no sense at all
Outside of the simple nautical fact
Of its going downriver with no reference to anything beyond that...
Downriver toward the reality of the sea.

Creio que irei morrer.
Mas o sentido de morrer não me ocorre,
Lembro-me que morrer não deve ter sentido.
Isto de viver e morrer são classificações como as das plantas.
Que folhas ou que flores tem uma classificação?
Que vida tem a vida ou que morte a morte?
Tudo são termos nada se define.
A única diferença é um contorno, uma paragem, uma cor que destinge, uma...

I believe I'm going to die.
But no sense of death strikes me,
Reminding me that to die must have no sense.
To live and to die are terms, like the way we classify plants.
What classification do leaves and flowers have?
What life does life have and what death is in death?
All are terms, define nothing.
The only difference lies in a contour, finish, colour that distinguish it, a...

No dia brancamente nublado entristeço quase a medo
E ponho-me a meditar nos problemas que finjo...

Se o homem fosse, como deveria ser,
Não um animal doente, mas o mais perfeito dos animais,
Animal directo e não indirecto,
Devia ser outra a sua forma de encontrar um sentido às cousas,
Outra e verdadeira.
Devia haver adquirido um *sentido* do «conjunto»;
Um sentido, como ver e ouvir, do «total» das cousas
E não, como temos, um *pensamento* do «conjunto»,
E não, como temos, uma *ideia* do «total» das cousas.
E assim—veríamos—não teríamos noção de «conjunto»
    ou de «total»,
Porque o sentido de «total» ou de «conjunto» não seria de um
    «total» ou de um «conjunto»
Mas da verdadeira Natureza talvez nem todo nem partes.

O único mistério do Universo é o mais e não o menos.
Percebemos demais as cousas—eis o erro e a dúvida.
O que existe transcende para baixo o que julgamos que existe.
A Realidade é apenas real e não pensada.
O Universo não é uma ideia minha.
A minha ideia do Universo é que é uma ideia minha.
A noite não anoitece pelos meus olhos.
A minha ideia da noite é que anoitece por meus olhos.
Fora de eu pensar e de haver quaisquer pensamentos
A noite anoitece concretamente
E o fulgor das estrelas existe como se tivesse peso.

Assim como falham as palavras quando queremos exprimir

An overcast day saddens me almost with fear
And I start to ponder imaginary problems...

If man was, as he should be,
Not a sick animal, but the most perfect of animals,
A direct and not indirect animal,
His way of discovering the sense of things would be different,
Different and true.
He would've gained a *sense* of "wholeness";
A sense, like sight and hearing, of the "totality" of things
And not, as we have, only a *thought* of "wholeness",
And not, as we have, only an *idea* of the "totality" of things.
So—as we'd see—there wouldn't be a notion of "wholeness"
    or "totality",
Because a sense of "wholeness" or "totality" wouldn't belong to a
    "totality" or a "wholeness"
But to Nature as it truly is without sum or parts.

The only mystery of the Universe is that it's greater and not less.
We perceive things too sharply—this is our mistake and doubt.
What exists transcends by far what we believe exists.
Reality is simply real and not thought.
The Universe isn't one of my ideas.
My idea of the Universe is an idea of mine.
Night doesn't darken for my eyes.
My idea of night is that it darkens for my eyes.
Irrespective of my thoughts, or that there are any thoughts at all,
The night definitely darkens
And the glow from the stars exists as if it had weight.

Just as words fail us when we want to express

qualquer pensamento,
Assim faltam os pensamentos quando queremos pensar qualquer realidade.
Mas, como a essência do pensamento não é ser dito mas ser pensado,
Assim é a essência da realidade o existir, não o ser pensada.
Assim tudo o que existe, simplesmente existe.
O resto é uma espécie de sono que temos,
Uma velhice que nos acompanha desde a infância da doença.

O espelho reflecte certo; não erra porque não pensa.
Pensar é essencialmente errar.
Errar é essencialmente estar cego e surdo.

Estas verdades não são perfeitas porque são ditas,
E antes de ditas, pensadas:
Mas no fundo o que está certo é elas negarem-se a si próprias
Na negação oposta de afirmarem qualquer cousa.
A única afirmação é ser.
E ser o oposto é o que não queria de mim...

⁂

...mas o Universo existe mesmo sem o Universo.
Esta verdade capital é falsa só quando é dita.

⁂

a thought,
So thoughts fail us when we want to think a reality.
But, as the essence of thought is not to be spoken but thought,
So the essence of reality is to exist, not to be thought about.
So everything that exists, simply exists.
The rest is a kind of dream we have,
An old age that's with us from the infancy of our illness.

The mirror reflects truly; isn't wrong because it doesn't think.
To think is essentially to go wrong.
To go wrong is essentially to be blind and deaf.

These truths aren't perfect because they're spoken,
And before being spoken, are thought:
At root what's sure is that they negate themselves
In a counter negation that affirms something.
The only affirmation is being.
And to go against that isn't what I want to do...

※

...but the Universe exists even without the Universe.
This essential truth is only false when spoken.

※

A noite desce, o calor soçobra um pouco.
Estou lúcido como se nunca tivesse pensado
E tivesse raiz, ligação directa com a terra,
Não esta espúria ligação do sentido secundário chamado a vista,
A vista por onde me separo das cousas,
E me aproximo das estrelas e das cousas distantes—
Erro: porque o distante não é o próximo,
E aproximá-lo é enganar-se.

Night falls, heat drops off a little.
I'm as clear-headed as if I'd never had a thought
And feel rooted, a direct connection with the earth,
Not that spurious secondary connection called sight,
The sight that separates me from things,
And brings me closer to the stars and distant things—
A mistake: because what's distant isn't near,
And to come closer is to be tricked.

Estou doente. Meus pensamentos começam a estar confusos.
Mas o meu corpo, tocando nas cousas, entra nelas.
Sinto-me parte das cousas com o tacto
E uma grande libertação começa a fazer-se em mim,
Uma grande alegria solene como a de um acto heróico
Passado a sós no gesto sóbrio e escondido.

I'm sick. My thoughts start to become confused.
But my body, in touching things, enters them.
I feel a part of things through touch
And a great sense of freedom flows within me,
A great solemn joy as if I'd done some heroic act,
Lending force to each ordinary, hidden gesture.

Aceita o universo
Como to deram os deuses.
Se os deuses te quisessem dar outro
Ter-to-iam dado.

Se há outras matérias e outros mundos—
Haja.

Accept the universe
Just as the gods have given it to you.
If the gods had wished to give you another,
They'd have given it to you.

If there's other matter and other worlds—
Let there be.

Quando está frio no tempo do frio, para mim é como se estivesse agradável,
Porque para o meu ser adequado à existência das cousas
O natural é o agradável só por ser natural.

Aceito as dificuldades da vida porque são o destino,
Como aceito o frio excessivo no alto do inverno—
Calmamente, sem me queixar, como quem meramente aceita,
E encontra uma alegria no facto de aceitar—
No facto sublimemente científico e difícil de aceitar o
natural inevitável.

Que são para mim as doenças que tenho e o mal que me acontece
Senão o inverno da minha pessoa e da minha vida?
O inverno irregular, cujas leis de aparecimento desconheço,
Mas que existe para mim em virtude da mesma fatalidade sublime,
Da mesma inevitável exterioridade a mim,
Que o calor da terra no alto do verão
E o frio da terra no cimo do inverno.

Aceito por personalidade.
Nasci sujeito como os outros a erros e a defeitos,
Mas nunca ao erro de querer compreender demais,
Nunca ao erro de querer compreender só com a inteligência,
Nunca ao defeito de exigir no mundo
Que fosse qualquer cousa que não fosse o mundo.

In the cold of the cold season it's as if the weather were fine to me,
Because for me, who sees the fitness of everything that exists,
What's natural is right by virtue of its being natural.

I accept life's difficulties because they are destined,
As I accept the excessive cold in deepest winter—
Calmly, without complaining, as someone who simply accepts,
And finds joy in the act of accepting—
In the sublimely scientific and difficult act of accepting what's
naturally inevitable.

What are the illnesses I experience and difficulties I undergo
But the winter season in my life and being?
The uneven winter, whose primal laws are unknown to me,
But which exist according to the same sublime certainty,
That same inevitable independence from me,
Like the earth's heat in full summer
And the earth's cold in deepest winter.

I accept this through personality.
Like others I was born subject to mistakes and failings,
But never the mistake of wishing to understand too much,
Never the mistake of wishing to understand only with my intelligence,
Never the failing that asks of the world
That it should be anything other than the world.

Seja o que for que esteja no centro do mundo,
Deu-me o mundo exterior por exemplo de Realidade,
E quando digo «isto é real», mesmo de um sentimento,
Vejo-o sem querer em um espaço qualquer exterior,
Vejo-o com uma visão qualquer fora e alheio a mim.

Ser real quer dizer não estar dentro de mim.
Da minha pessoa de dentro não tenho noção de realidade.
Sei que o mundo existe, mas não sei se existo.
Estou mais certo da existência da minha casa branca
Do que da existência interior do dono da casa branca.
Creio mais no meu corpo do que na minha alma,
Porque o meu corpo apresenta-se no meio da realidade,
Podendo ser visto por outros,
Podendo tocar em outros,
Podendo sentar-se e estar de pé,
Mas a minha alma só pode ser definida por termos de fora.
Existe para mim—nos momentos em que julgo que efectivamente existe—
Por um empréstimo da realidade exterior do Mundo.

Se a alma é mais real
Que o mundo exterior, como tu, filósofo, dizes,
Para que é que o mundo exterior me foi dado como tipo da realidade?
Se é mais certo eu sentir
Do que existir a cousa que sinto—
Para que sinto
E para que surge essa cousa independentemente de mim
Sem precisar de mim para existir,
E eu sempre ligado a mim próprio, sempre pessoal e intransmissível?
Para que me movo com os outros

Whatever the centre of the world happens to be,
I cite the outside world as an example of Reality,
And when I say "this is real", be it just a feeling,
I see it in an area outside myself without even wishing to,
I see it as a vision of something apart and outside of me.

Saying something is real is to say that it's not within me.
My inner self has no notion of reality.
I know that the world exists, but I don't know if I exist.
I'm more certain of the existence of my white house
Than I am of the inner existence of the house's owner.
I believe in my body more than I do my soul,
Because my body presents itself amidst reality,
Able to be seen by others,
Able to touch others,
Able to sit down and stand up,
Whereas my soul can only be defined in terms outside itself.
To me it exists—in those moments when I judge that it effectively exists—
By means of borrowing from the reality of the outside World.

If the soul is more real
Than the outside world, as you say, philosopher,
Then why was the outside world given to me as a model of reality?
If it's more certain I feel
Than that the things which I feel actually exist—
Then why do I feel
And how does this other thing arise which is independent of me
Without any need of me for its existence,
I, always bound to myself, always personal and untransferable?
And why do I move around others

Em um mundo em que nos entendemos e onde coincidimos
Se por acaso esse mundo é o erro e eu é que estou certo?
Se o mundo é um erro, é um erro de toda a gente.
E cada um de nós é o erro de cada um de nós apenas.
Cousa por cousa, o mundo é mais certo.

Mas por que me interrogo, se não porque estou doente?

Nos dias certos, nos dias exteriores da minha vida,
Nos meus dias de perfeita lucidez natural,
Sinto sem sentir que sinto,
Vejo sem saber que vejo,
E nunca o Universo é tão real como então,
Nunca o Universo está (não é perto ou longe de mim,
Mas) tão sublimemente não-meu.

Quando digo «é evidente», quero acaso dizer «só eu é que o vejo»?
Quando digo «é verdade», quero acaso dizer «é minha opinião»?
Quando digo «ali está», quero acaso dizer «não está ali»?
E se isto é assim na vida, por que será diferente na filosofia?
Vivemos antes de filosofar, existimos antes de o sabermos,
E o primeiro facto merece ao menos a precedência e o culto.
Sim, antes de sermos interior somos exterior.
Por isso somos exterior essencialmente.

Dizes, filósofo doente, filósofo enfim, que isto é materialismo.
Mas isto como pode ser materialismo, se materialismo é uma filosofia,
Se uma filosofia seria, pelo menos sendo minha, uma filosofia minha,
E isto nem sequer é meu, nem sequer sou eu?

⁜

In a world in which we coincide and are able to understand each other
If this world is an error and I am the only one who's in the right?
If the world is an error, then it's everyone's error.
And every one of us simply lives in error of ourselves.
Taken thing for thing, the world is more certain.

But why do I quiz myself, if not because I'm ill?

On days of certainty, on days that pass outside my life,
Days of perfect natural lucidity,
I feel without feeling that I feel,
See without knowing that I see,
And the Universe is never so real as then,
Never is the Universe (neither near nor distant from me,
But) so sublimely not mine.

When I say "it's evident", perhaps I just want to say "it is only I who sees it"?
When I say "it's true", perhaps I just want to say "it's my opinion"?
When I say "there it is", perhaps I just want to say "it's not there"?
And if this is so in life, then why should it be different in philosophy?
We live before we philosophise, we exist before knowing it,
And this first act deserves at least its place and precedence.
Yes, before we live internally we live externally.
For this reason we are essentially external.

You say, sick philosopher, philosopher to the end, that this is materialism.
But how can this be materialism if materialism is a philosophy,
If it's a serious philosophy, at least for being mine, a personal philosophy,
And it isn't even mine, nor is it even me?

※

Pouco me importa.
Pouco me importa o quê? Não sei: pouco me importa.

It means little to me.
What means little to me? I don't know: it means little to me.

A guerra, que aflige com os seus esquadrões o mundo,
É o tipo perfeito do erro da filosofia.

A guerra, como tudo humano, quer alterar.
Mas a guerra, mais do que tudo, quer alterar e alterar muito
E alterar depressa.

Mas a guerra inflige a morte.
E a morte é o desprezo do universo por nós.
Tendo por consequência a morte, a guerra prova que é falsa.
Sendo falsa, prova que é falso todo o querer-alterar.

Deixemos o universo exterior e os outros homens onde a Natureza os pôs.
Tudo é orgulho e inconsciência.
Tudo é querer mexer-se, fazer cousas, deixar rasto.
Pára o coração e o comandante dos esquadrões
Regressa aos bocados ao universo exterior.

A química directa da natureza
Não deixa lugar vago para o pensamento.

A humanidade é uma revolta de escravos.
A humanidade é um governo usurpado pelo povo.
Existe porque usurpou, mas erra porque usurpar é não ter direito.

Deixai existir o mundo exterior e a humanidade natural!
Paz a todas as cousas pré-humanas, mesmo no homem.
Paz à essência inteiramente exterior do Universo!

The war, which afflicts the world with its squadrons,
Is the perfect type of philosophical error.

The war, like all mankind, seeks to change.
But war, more than anything, seeks to change and to change greatly
And to change in a hurry.

But war inflicts death.
And death is the universe's indifference toward us.
Having death as a consequence, the war proves itself to be false.
Being false, it proves that every wish to change things is false.

Leave the outside world as it is and all other men where Nature has put them.
All is pride and lack of awareness.
All is a wish to shift oneself, make things, leave a mark.
The heart stops and even the leader of the squadrons
Returns once more to the outside world.

Nature's sure science
Leaves no remaining place for thought.

Humanity is a slave revolt.
Humanity is a government usurped by its own people.
It exists because it usurps, but is mistaken because to usurp isn't to rule.

Leave the outside world to itself, together with humanity in its natural state!
Peace to all pre-human things, and to man.
Peace to the entirely external essence of the Universe.

Todas as opiniões que há sobre a Natureza
Nunca fizeram crescer uma erva ou nascer uma flor.
Toda a sabedoria a respeito das cousas
Nunca foi cousa em que pudesse pegar, como nas cousas.
Se a ciência quer ser verdadeira,
Que ciência mais verdadeira que a das cousas sem ciência?
Fecho os olhos e a terra dura sobre que me deito
Tem uma realidade tão real que até as minhas costas a sentem.
Não preciso de raciocínio onde tenho espáduas.

All the opinions that exist about Nature
Never made a blade of grass or flower grow.
All wisdom regarding things
Has never been something that could be gathered, like things.
If science wants to be true,
What truer science is there than things without science?
I close my eyes and the hard ground on which I throw myself
Is so real it can be felt on my back.
I don't need reason when I have shoulders.

Navio que partes para longe,
Por que é que, ao contrário dos outros,
Não fico, depois de desapareceres, com saudades de ti?
Porque quando te não vejo, deixaste de existir.
E se se tem saudades do que não existe,
Sente-se em relação a cousa nenhuma;
Não é do navio, é de nós, que sentimos saudades.

Ship that departs for afar,
Why is it that, unlike others,
I'm not left, when you disappear, with fond recollections of you?
Why, when I can't see you, have you stopped existing.
And if others have fond recollections for what doesn't exist,
They feel these in relation to nothing;
It isn't the ship, but ourselves, who feel these fond recollections.

Pouco a pouco o campo se alarga e se doura.
A manhã extravia-se pelos irregulares da planície.
Sou alheio ao espectáculo que vejo: vejo-o.
É exterior a mim. Nenhum sentimento me liga a ele,
E é esse o sentimento que me liga à manhã que aparece.

Gradually the fields widen and grow golden.
Morning loses itself through the uneven plain.
I'm foreign from the spectacle I see: simply see it.
It's outside of me. No feeling connects me to it,
And it's this feeling that connects me to morning as it appears.

Última estrela a desaparecer antes do dia,
Pouso no teu trémulo azular branco os meus olhos calmos,
E vejo-te independentemente de mim,
Alegre pela vitória que tenho em poder ver-te
Sem «estado de alma» nenhum, salvo ver-te.
A tua beleza para mim está em existires.
A tua grandeza está em existires inteiramente fora de mim.

Last star to disappear before daybreak,
I rest my calm gaze on your blue-white glistening,
And see you as independent of me,
Happy for the gain of being able to see you
Without any "state of soul", except that of seeing you.
To me your beauty lies in your existence.
Your greatness lies in your completely separate existence from me.

A água chia no púcaro que elevo à boca.
«É um som fresco» diz-me quem me dá a bebê-la.
Sorrio. O som é só um som de chiar.
Bebo a água sem ouvir nada na minha garganta.

The water gurgles in the jug I lift to my mouth.
"A fresh sound" says the person who offers it to me.
I smile. The sound is only a gurgling sound.
I drink the water without hearing anything with my throat.

O que ouviu os meus versos disse-me: que tem isso de novo?
Todos sabem que uma flor é uma flor e uma árvore é uma árvore.
Mas eu respondi: nem todos, ninguém.
Porque todos amam as flores por serem belas, e eu
sou diferente.
E todos amam as árvores por serem verdes e darem sombra, mas
eu não.
Eu amo as flores por serem flores, directamente.
Eu amo as árvores por serem árvores, sem o meu pensamento.

Someone who heard my poems asked me: what's new in that?
Everyone knows that a flower is a flower and that a tree is a tree.
But I replied: not everyone, no-one.
Because everyone loves flowers because they're beautiful, and
I'm different.
And everyone loves trees because they're green and give shade, but
not me.
I love flowers simply because they're flowers.
I love trees because they're trees, without a thought.

Ontem o pregador de verdades dele
Falou outra vez comigo.
Falou do sofrimento das classes que trabalham
(Não do das pessoas que sofrem, que é afinal quem sofre).
Falou da injustiça de uns terem dinheiro,
E de outros terem fome, que não sei se é fome de comer,
Ou se é só fome da sobremesa alheia.
Falou de tudo quando pudesse fazê-lo zangar-se.

Que feliz deve ser quem pode pensar na infelicidade
dos outros!
Que estúpido se não sabe que a infelicidade dos
outros é deles,
E não se cura de fora,
Porque sofrer não é ter falta de tinta
Ou o caixote não ter aros de ferro!

Haver injustiça é como haver morte.
Eu nunca daria um passo para alterar
Aquilo a que chamam a injustiça do mundo.
Mil passos que desse para isso
Eram só mil passos.
Aceito a injustiça como aceito uma pedra não ser redonda,
E um sobreiro não ter nascido pinheiro ou carvalho.

Cortei a laranja em duas, e as duas partes não podiam ficar iguais.
Para qual fui injusto—eu, que as vou comer a ambas?

Yesterday the teller of his own truths
Spoke to me again.
He spoke about the suffering of the working class
(Not about people who suffer, who are, after all, those who suffer).
He spoke of the injustice that while a few have money,
Others go hungry, which I don't know whether or not is genuine hunger,
Or only the hunger for out-of-reach delicacies.
He spoke about everything that could possibly annoy him.

How happy must that person be who can think about other
    people's unhappiness!
How stupid if they don't realise that other people's unhappiness
    belongs to them,
And can't be healed from outside,
Because suffering isn't to lack ink
Or for a coffin to lack iron fittings!

That injustice exists is no more unusual than that death exists.
I'd never take a single step to change
That which they call the world's injustice.
A thousand steps taken in that direction
Would still only be a thousand steps.
I accept injustice just as I accept that a stone might not happen to be round,
Or that a cork tree didn't spring up as a pine or an oak.

I sliced an orange in two, and the two parts couldn't be equal.
Why was I unjust—I, who will eat them both?

Mas para quê me comparar com uma flor, se eu sou eu
E a flor é a flor?

Ah, não comparemos coisa nenhuma; olhemos.
Deixemos analogias, metáforas, símiles.
Comparar uma coisa com outra é esquecer essa coisa.
Nenhuma coisa lembra outra se repararmos para ela.
Cada coisa só lembra o que é
E só é o que nada mais é.
Separa-a de todas as outras o abismo de ser ela
(E as outras não serem ela).
Tudo é nada sem outra coisa que não é.

O quê? Valho mais que uma flor
Porque ela não sabe que tem cor e eu sei,
Porque ela não sabe que tem perfume e eu sei,
Porque ela não tem consciência de mim e eu tenho consciência dela?

Mas o que tem uma coisa com a outra
Para que seja superior ou inferior a ela?
Sim, tenho consciência da planta e ela não a tem de mim.
Mas se a forma da consciência é ter consciência, que há nisso?
A planta, se falasse, podia dizer-me: e o teu perfume?
Podia dizer-me: tu tens consciência porque ter consciência é uma
    qualidade humana
E eu não tenho consciência porque sou flor, não sou homem.
Tenho perfume e tu não tens, porque sou flor...

But why compare myself to a flower, if I am myself
And a flower is a flower?

O, let's not compare anything at all; let's look.
Leave aside analysis, metaphor, simile.
To compare one thing with another is to forget it.
Nothing recalls anything else if we focus on it.
Everything recalls only itself
And is only what nothing else is.
What separates it from everything else is the fact it is itself
(And is what other things aren't).
Everything is nothing else but what other things aren't.

What? I'm more valuable than a flower
Because it doesn't know it has colour and I do,
Because it doesn't know it has scent and I do,
Because it isn't aware of me and I am aware of it?

But what does one thing have to do with another
For it to be considered superior or inferior to it?
Yes, I'm aware of the plant and it isn't aware of me.
But if the nature of awareness is to be aware, what does it mean?
The plant, if it spoke, could say: and your scent?
It could say: you're aware because having awareness is a
    human quality
And I don't have it because I'm a flower, I'm not human.
I have scent and you don't, because I'm a flower...

Criança desconhecida e suja brincando à minha porta,
Não te pergunto se me trazes um recado dos símbolos.
Acho-te graça por nunca te ter visto antes,
E naturalmente se pudesses estar limpa eras outra criança,
Nem aqui vinhas.
Brinca na poeira, brinca!
Aprecio a tua presença só com os olhos.
Vale mais a pena ver uma cousa sempre pela primeira vez que
conhecê-la,
Porque conhecer é como nunca ter visto pela
primeira vez,
E nunca ter visto pela primeira vez é só ter
ouvido contar.

O modo como esta criança está suja é diferente do modo como as
outras estão sujas.
Brinca! Pegando numa pedra que te cabe na mão,
Sabes que te cabe na mão.
Qual é a filosofia que chega a uma certeza maior?
Nenhuma, e nenhuma pode vir brincar nunca à minha porta.

Unknown grubby child playing at my door,
I don't ask whether your presence has any symbolic value.
You delight me in my never having seen you before,
And, clearly, if you were cleaner, then you'd be another child,
And wouldn't come here.
Play in the dust, play!
In just seeing you I value your presence.
It's more worthwhile to see something for the first time than
to know it,
Because to know something is like never having seen it for the
first time,
And not to have seen something for the first time is only to have
heard of it.

This child's grubbiness is different from that of
other children.
Play! And taking up a stone that fits in your hand,
You know that it fits in your hand.
What philosophy could arrive at greater certainty?
None, and nor could any come and play at my door.

Verdade, mentira, certeza, incerteza...
Aquele cego ali na estrada também conhece estas palavras.
Estou sentado num degrau alto e tenho as mãos apertadas
Sobre o mais alto dos joelhos cruzados.
Bem: verdade, mentira, certeza, incerteza o que são?
O cego pára na estrada,
Desliguei as mãos de cima do joelho.
Verdade, mentira, certeza, incerteza são as mesmas?
Qualquer cousa mudou numa parte da realidade—os meus joelhos e
as minhas mãos.
Qual é a ciência que tem conhecimento para isto?
O cego continua o seu caminho e eu não faço mais gestos.
Já não é a mesma hora, nem a mesma gente, nem nada igual.
Ser real é isto.

Truth, untruth, certainty, uncertainty...
That blind man there in the road also knows these words.
I sit on a high step and have placed my hands
On top of my knee which I've crossed over the other.
So then: truth, untruth, certainty, uncertainty, what are they?
The blind man stops in the road,
I remove my hands from the top of my knee.
Truth, untruth, certainty, uncertainty, are they the same?
Something changed in one part of reality—my knees and
my hands.
Which science has an understanding of this?
The blind man continues on his way and I make no more gestures.
Already time is not the same, nor people the same, nor anything the same.
Being real is this.

Uma gargalhada de rapariga soa do ar da estrada.
Riu do que disse quem não vejo.
Lembro-me já que ouvi.
Mas se me falarem agora de uma gargalhada de rapariga da estrada,
Direi: não, os montes, as terras ao sol, o sol, a casa aqui,
E eu que só oiço o ruído calado do sangue que há na minha vida dos
dois lados da cabeça.

A girl's laughter breezes along the path.
She laughed at what was said by someone I never saw.
I remember hearing her.
But if they talk to me now about a girl's laughter on the path,
I'll say: no, the mountains, the sunlit earth, the sun, the house here,
And I, who hears only the silent beat of blood that sounds on
    both sides of their head.

Noite de S. João para além do muro do meu quintal.
Do lado de cá, eu sem noite de S. João.
Porque há S. João onde o festejam.
Para mim há uma sombra de luz de fogueiras na noite,
Um ruído de gargalhadas, os baques dos saltos.
E um grito casual de quem não sabe que eu existo.

St. John's festival beyond my garden wall.
Myself on this side, no part of St. John's night.
Because St. John's festival is where it's celebrated.
For me there's the shadow of harvest fires in the night,
The sounds of laughter, thuds of those leaping about.
And the casual cry of someone who doesn't know I exist.

Tu, místico, vês uma significação em todas as cousas.
Para ti tudo tem um sentido velado.
Há uma cousa oculta em cada cousa que vês.
O que vês, vê-lo sempre para veres outra cousa.

Para mim, graças a ter olhos só para ver,
Eu vejo ausência de significação em todas as cousas;
Vejo-o e amo-me, porque ser uma cousa é não significar nada.
Ser uma cousa é não ser susceptível de interpretação.

You, mystic, see a meaning in everything.
For you everything has a higher meaning.
There's something hidden in everything you see.
What you see, you always see as a means of seeing something else.

I, thankfully, have eyes only for seeing,
I see an absence of meaning in everything;
I see and love things because being something doesn't mean anything.
Being something is not to be susceptible to interpretation.

Pastor do monte, tão longe de mim com as tuas ovelhas—
Que felicidade é essa que pareces ter—a tua ou a minha?
A paz que sinto quando te vejo, pertence-me, ou pertence-te?
Não, nem a ti nem a mim, pastor.
Pertence só à felicidade e à paz.
Nem tu a tens, porque não sabes que a tens.
Nem eu a tenho, porque sei que a tenho.
Ela é ela só, e cai sobre nós como o sol,
Que te bate nas costas e te aquece, e tu pensas noutra cousa
indiferentemente,
E me bate na cara e me ofusca, e eu só penso no sol.

Mountain shepherd, far off from me with your sheep—
Whose happiness is that which you seem to possess—yours or mine?
The peace I feel watching you, does it belong to me or to you?
No, neither to me nor to you, shepherd.
It belongs to peace and happiness alone.
Nor do you possess it, because you don't know you possess it.
Nor do I possess it, because I know I possess it.
Happiness is itself alone, and falls on us both like the sun,
That strikes your back and warms you, while you think
    indifferently about other things,
And strikes my face and blinds me, while I think only about the sun.

Ah, querem uma luz melhor que a do sol!
Querem prados mais verdes que estes!
Querem flores mais belas que estas que vejo!
A mim este sol, estes prados, estas flores contentam-me.
Mas, se acaso me descontentam,
O que quero é um sol mais sol que o sol,
O que quero é prados mais prados que estes prados,
O que quero é flores mais estas flores que estas flores—
Tudo mais ideal do que é do mesmo modo e da mesma maneira!
Aquela cousa que está ali estar mais ali do que ali está!
Sim, choro às vezes o corpo perfeito que não existe.
Mas o corpo perfeito é o corpo mais corpo que pode haver,
E o resto são os sonhos dos homens,
A miopia de quem vê pouco,
E o desejo de estar sentado de quem não sabe estar de pé.
Todo o cristianismo é um sonho de cadeiras.

E como a alma é aquilo que não aparece,
A alma mais perfeita é aquela que não aparece nunca—
A alma que está feita com o corpo
O absoluto corpo das cousas,
A existência absolutamente real sem sombras nem erros,
A coincidência exacta e inteira de uma cousa consigo mesma.

Ah, they want a light greater than the sun's!
They want meadows greener than these!
They want flowers more beautiful than these I see!
To me this sun, these meadows, these flowers are enough.
But, if they should happen to displease me,
What I want is a sun that's more like the sun than the sun,
What I want are meadows that are more like meadows than these meadows,
What I want are flowers that are more like flowers than these flowers—
Everything more ideally itself in the same way and manner!
What's there is more there than what's there!
Yes, at times I cry for the perfect body that doesn't exist.
But the perfect body is the most bodily body there can be,
And the rest simply a dream,
The short-sightedness of those who see little,
And the wish of those to sit down who don't know what it is to be upright.
Christianity is a way of dreaming about chairs.

And just as the soul is what doesn't appear,
The most perfect soul is what never appears—
The soul that's one with the body
The absolute body of things,
Absolutely real existence without shadow or error,
The exact and total correspondence of a thing with itself.

O conto antigo da Gata Borralheira,
O João Ratão e o Barba Azul e os 40 Ladrões,
E depois o Catecismo e a história de Cristo
E depois todos os poetas e todos os filósofos;
E a lenha ardia na lareira quando se contavam contos,
O sol havia lá fora em dias de destino,
E por cima da leitura dos poetas as árvores faziam sombra—
Só hoje vejo o que é que aconteceu na verdade.
Que a lenha ardida, exactamente porque ardeu,
Que o sol dos dias de destino, porque já não há,
Que as árvores faziam sombra (para além das páginas dos poetas)—
Que disto tudo só fica o que nunca foi:
Porque a recompensa de não existir é estar sempre presente.

In the old story of Cinderella,
Of João Ratão and of Ali Baba and the 40 Thieves,
And later the Catechism and what it recounts of Christ
And after all the poets and philosophers;
Firewood burned at the fireplace when these stories were told,
The sun shone on days of destiny,
And above the poet's tales the trees and their shade—
Only today I see things as they truly happened.
That firewood burned, precisely because it burned,
That the sun on days of destiny is no longer there,
Together with the trees and their shade (beyond the poet's pages)—
Everything is only what it never was:
Because the reward for not existing is to be ever present.

Duas horas e meia da madrugada. Acordo, e adormeço.
Houve em mim um momento de vida diferente entre sono e sono.

Se ninguém condecora o sol por dar luz,
Para que condecoram quem é herói?

Durmo com a mesma razão com que acordo
E é no intervalo que existo.

Nesse momento, em que acordei, dei por todo o mundo—
Uma grande noite incluindo tudo
Só para fora.

Two and a half hours from dawn. I awake, and fall back to sleep.
For a moment, between dreams, I lived a different life.

If the sun isn't rewarded for the light it gives,
Why should any hero be rewarded?

I sleep with the same reason that I wake with
And in between I exist.

In the moment I awoke, I gave to everything—
A great goodnight, including all
That's just outside.

Pétala dobrada para trás da rosa que outros diriam de veludo,
Apanho-te do chão e, de perto, contemplo-te de longe.

Não há rosas no meu quintal: que vento te trouxe?
Mas chego de longe de repente. Estive doente um momento.
Nenhum vento te trouxe *agora*.
Agora estas aqui.
O que tu foste não és tu, se não toda a rosa estava aqui.

Folded petal that some would call silken,
I pick you up and, up close, see you from afar.

There aren't any roses in my orchard: what wind brought you?
But I return from afar. I was unwell a moment.
No wind brings you *now*.
You are here now.
You aren't what you were before, else the whole rose would be here.

Entre o que vejo de um campo e o que vejo de outro campo
Passa um momento uma figura de homem.
Os seus passos vão com «ele» na mesma realidade,
Mas eu reparo para ele e para eles, e são duas cousas:
O «homem» vai andando com as suas ideias, falso e estrangeiro,
E os passos vão com o sistema antigo que faz pernas andar.
Olho-o de longe sem opinião nenhuma.
Que perfeito que é nele o que ele é—o seu corpo,
A sua verdadeira realidade que não tem desejos nem esperanças,
Mas músculos e a maneira certa e impessoal de os usar.

While looking across from one field to another
A man's figure passes by.
His steps pass on with "him" in the same reality,
But I focus on him and them, and they are two things:
The "man" passes on with his ideas, false and foreign,
And his steps pass on in the same ancient striding way.
I watch from afar without any opinion.
How perfect he is in what he is—his body,
His true reality that has neither wishes nor hopes,
But only muscles and the truly impersonal way in which they're used.

Gozo os campos sem reparar para eles.
Perguntas-me por que os gozo.
Porque os gozo, respondo.
Gozar uma flor é estar ao pé dela inconscientemente
E ter uma noção do seu perfume nas nossas ideias mais apagadas.
Quando reparo, não gozo: vejo.
Fecho os olhos, e o meu corpo, que está entre a erva,
Pertence inteiramente ao exterior de quem fecha os olhos—
À dureza fresca da terra cheirosa e irregular;
E alguma coisa dos ruídos indistintos das coisas a existir,
E só uma sombra encarnada de luz me carrega levemente nas órbitas,
E só um resto de vida ouve.

I take joy in the fields without looking at them.
You ask me why I take joy in them.
Because I take joy in them, I answer.
To take joy in a flower is to be beside it unconsciously
And have a notion of its scent in our vaguest thoughts.
When I look, I don't take joy: I see.
I close my eyes, and my body, that's on the grass,
Belongs completely to the outside of someone who closes their eyes—
Before the firm freshness of the fragrant and uneven earth;
And to some of the indistinct sounds of things that exist,
And only a shadow formed of light pulses gently on my lids,
And only a trace of life is heard.

Não tenho pressa: não a têm o sol e a lua.
Ninguém anda mais depressa do que as pernas que tem.
Se onde quero estar é longe, não estou lá num momento.

I don't rush. Nor does the sun or moon.
Nobody walks faster than their legs can carry them.
If where I want to be is far off, I'm not there in a moment.

Não tenho pressa. Pressa de quê?
Não têm pressa o sol e a lua: estão certos.
Ter pressa é crer que a gente passa adiante das pernas,
Ou que, dando um pulo, salta por cima da sombra.
Não; não sei ter pressa.
Se estendo o braço, chego exactamente onde o meu braço chega—
Nem um centímetro mais longe.
Toco só onde toco, não onde penso.
Só me posso sentar onde estou.
E isto faz rir como todas as verdades absolutamente verdadeiras,
Mas o que faz rir a valer é que nós pensamos sempre
    noutra cousa,
E somos vadios da nossa realidade.
E estamos sempre fora dela porque estamos aqui.

I don't rush. Rush for what?
The sun and moon don't rush: they're right.
To rush is to believe that people can outpace themselves,
Or that, by leaping, they can out-jump their own shadow.
No; I don't know how to rush.
If I extend an arm, it reaches exactly as far as my arm reaches—
Not a centimetre further.
I touch only where I touch, not where I think I do.
I can only sit down in my own space.
And this is as laughable as all the absolutely true truths,
But what's really worth laughing at is that we always think of
something else,
And are idle before our own reality.
And we're always outside of it because that's where we are.

Sim: existo dentro do meu corpo.
Não trago o sol ou a lua na algibeira.
Não quero conquistar mundos porque dormi mal,
Nem almoçar o mundo por causa do estômago.
Indiferente?
Não: natural da terra, que se der um salto, está em falso,
Um momento no ar que não é para nós,
E só contente quando os pés lhe batem outra vez na terra,
Trás! na realidade que não falta!

Yes: I exist on the inside.
I don't carry the sun or moon in my back pocket.
I don't want to conquer worlds because I slept badly,
Nor lunch on the earth to satisfy my appetite.
Indifferent?
No: naturally earth-born, who if they jumped, it would be false,
A moment in the air that isn't for us,
Only happy when feet touched earth again,
Thud! In a reality that doesn't go wrong!

O verde do céu azul antes do sol ir a nascer,
E o azul branco do ocidente onde o brilhar do sol se sumiu.

As cores verdadeiras das coisas que os olhos vêem—
O luar não branco mas acinzentado é azul e espelha
onde bate quando bate.

Contenta-me ver com os olhos e não com as páginas lidas.

The green of the blue sky before sunrise,
And blue-white in the west where the sunlight sinks.

The true colour of things seen by the eyes—
The moonlight that isn't white but ashen is blue and irradiates
where it touches when it touches.

I'm happy to see with my eyes and not from the pages of a book.

Como uma criança antes de a ensinarem a ser grande,
Sou verdadeiro e leal ao que vejo e oiço.

Like a child before it's taught older ways,
I'm true and faithful to what I see and hear.

Não sei o que é conhecer-me. Não vejo para dentro.
Não acredito que eu exista por detrás de mim.

I don't know what it is to know myself. I don't see within.
I don't believe I exist behind myself.

Patriota? Não: só português.
Nasci português como nasci louro e de olhos azuis.
Se nasci para falar, tenho que falar uma língua.

Patriotic? No: only Portuguese.
Born Portuguese as I was born fair-haired and blue-eyed.
If I was born to speak, I have to speak a language.

São assim azuis e calmos
Porque não pergunto com eles.
Que posso eu perguntar a que alguém possa responder?

They're blue and calm
Because they don't question.
What can I ask that someone else might answer?

Deito-me ao comprido na erva
E esqueço tudo quanto me ensinaram.
O que me ensinaram nunca me deu mais calor nem mais frio.
O que me disseram que havia nunca me alterou a forma de uma coisa.
O que me aprenderam a ver nunca tocou nos meus olhos.
O que me apontaram nunca estava ali: estava ali só o que ali estava.

I throw myself down on the grass
And forget everything I've been taught.
What I was taught never made me warmer or colder.
What I was told never changed a thing for me.
What they taught me to see never touched my eyes.
What they pointed out to me was never there: only what was there was there.

Falaram-me em homens, em humanidade,
Mas eu nunca vi homens nem vi humanidade.
Vi vários homens assombrosamente diferentes entre si,
Cada um separado do outro por um espaço sem homens.

They told me about men and humanity,
But I've never seen men, nor seen humanity.
I've seen various men amazingly different from each other,
Each separated by a measure that wasn't of men.

Nunca busquei viver a minha vida.
A minha vida viveu-se sem que eu quisesse ou não quisesse.
Só quis ver como se não tivesse alma.
Só quis ver como se fosse apenas olhos.

I never sought to live my life.
My life has been lived without my wanting or not wanting it to be.
I only wanted to see as if I had no soul.
I only wanted to see as if I just had eyes.

Vive, dizes, no presente;
Vive só no presente.

Mas eu não quero o presente, quero a realidade;
Quero as cousas que existem, não o tempo que as mede.

O que é o presente?
É uma cousa relativa ao passado e ao futuro.
É uma cousa que existe em virtude de outras cousas existirem.
Eu quero só a realidade, as cousas sem presente.

Não quero incluir o tempo no meu esquema.
Não quero pensar nas cousas como presentes; quero pensar
    nelas como cousas.
Não quero separá-las de si próprias, tratando-as
    por presentes.

Eu nem por reais as devia tratar.
Eu não as devia tratar por nada.

Eu devia vê-las, apenas vê-las;
Vê-las até não poder pensar nelas,
Vê-las sem tempo, nem espaço,
Ver podendo dispensar tudo menos o que se vê.
É esta a ciência de ver, que não é nenhuma.

Live, you say, in the present;
Live only in the present.

But I don't want the present, I want reality;
I want things that exist, not the time that measures them.

What is the present?
It's something relative to the past and future.
It's something that exists by virtue of other things that exist.
I only want reality, things apart from the present.

I don't want to include time in my scheme.
I don't want to think of things in the present; I want to think of
them as things.
I don't want to separate them from themselves, considering
them in the present.

They shouldn't even be considered as real.
They shouldn't be considered at all.

They should be seen, only seen;
Seen till they can no longer be thought about,
Seen apart from time and space,
Seen by dispensing with everything except what you can see.
This is the science of sight, which is none at all.

Ver as coisas até ao fundo...
E se as coisas não tiverem fundo?

Ah, que bela a superfície!
Talvez a superfície seja a essência
E o mais que a superfície seja o mais que tudo
E o mais que tudo não é nada.

⁎

Ó face do mundo, só tu, de todas as faces,
És a própria alma que reflectes.

See things to the root...
And what if things don't have a root?

Ah, how beautiful the surface is!
Perhaps what's on the surface is the essence
And what excels the surface is what excels everything
And what excels everything is nothing.

※

O, face of the world, only you, of all faces,
You're the same soul you reflect.

Dizes-me: tu és mais alguma cousa
Que uma pedra ou uma planta.
Dizes-me: sentes, pensas e sabes
Que pensas e sentes.
Então as pedras escrevem versos?
Então as plantas têm ideias sobre o mundo?

Sim: há diferença.
Mas não é a diferença que encontras;
Porque o ter consciência não me obriga a ter teorias sobre
as cousas:
Só me obriga a ser consciente.

Se sou mais que uma pedra ou uma planta? Não sei.
Sou diferente. Não sei o que é mais ou menos.

Ter consciência é mais que ter cor?
Pode ser e pode não ser.
Sei que é diferente apenas.
Ninguém pode provar que é mais que só diferente.

Sei que a pedra é real, e que a planta existe.
Sei isto porque elas existem.
Sei isto porque os meus sentidos mo mostram.
Sei que sou real também.
Sei isto porque os meus sentidos mo mostram,
Embora com menos clareza que me mostram a pedra e a planta.
Não sei mais nada.

Sim, escrevo versos, e a pedra não escreve versos.
Sim, faço ideias sobre o mundo, e a planta nenhumas.

You tell me: you're something greater
Than a stone or a plant.
You tell me: you feel, think and know
That you have thoughts and feelings.
Do stones write verses after all?
Do plants hold ideas about the world?

Yes: there's a difference.
But it's not the difference that you find;
Because my having consciousness doesn't mean I should hold theories about things:
It only means I should be conscious.

Whether I'm greater than a stone or a plant? I don't know.
I am different. I don't know which is greater or lesser.

Having consciousness is greater than having colour?
It may or may not be.
I only know that it's different.
Nobody can prove that it's anything else other than different.

I know that a stone is real, and that a plant exists.
I know this because they exist.
I know this because my senses reveal it to me.
I also know that I'm real.
I know this because my senses reveal it to me,
Though with less clarity than they reveal to me the stone and the plant.
I know no more than this.

Yes, I write verses and a stone doesn't write verses.
Yes, I hold ideas about the world and plants don't.

Mas é que as pedras não são poetas, são pedras;
E as plantas são plantas só, e não pensadores.
Tanto posso dizer que sou superior a elas por isto,
Como que sou inferior.
Mas não digo isso: digo da pedra, «é uma pedra»,
Digo da planta, «é uma planta»,
Digo de mim, «sou eu».
E não digo mais nada. Que mais há a dizer?

⁜

But stones are not poets, they're stones;
And plants are only plants, not thinkers.
I could just as easily say that this makes me inferior to them,
As that it makes me superior.
But I don't say that: I say of the stone, "it's a stone",
And I say of the plant, "it's a plant",
I say of myself, "it is I".
And I say nothing more. What more is there to say?

※

Sim, talvez tenham razão.
Talvez em cada coisa uma coisa oculta more,
Mas essa coisa oculta é a mesma
Que a coisa sem ser oculta.

Na planta, na árvore, na flor
(Em tudo o que vive sem fala
E é uma consciência e não o com que se faz uma consciência),
No bosque que não é árvores mas bosque,
Total das árvores sem soma,
Mora uma ninfa, um espírito exterior por dentro
Que lhes dá a vida;
Que floresce com o florescer deles
E é verde no seu verdor.

No animal e no homem entrou.
Vive por fora por dentro
E já dentro por fora.
Dizem os filósofos que isto é a alma.
Mas não é a alma: é o próprio animal ou homem
Da maneira como existe.

E penso que talvez haja entes
Em que as duas cousas coincidam
E tenham o mesmo tamanho,
E que estes entes serão os deuses,
Que existem porque assim é que completamente se existe,
Que não morrem porque são iguais a si mesmos,
Que podem muito porque não têm divisão
Entre quem são e quem são,

Yes, perhaps they're right.
Perhaps something lies hidden in everything,
But that hidden thing is the same
As what isn't hidden.

In a plant, a tree, a flower
(In every speechless thing
And it's an awareness and not what's made of awareness),
In a forest that isn't trees but forest,
The trees as a whole not their sum,
A spirit resides, the outer life within
That gives them life;
That blooms in their blooming
And is green in their greenness.

It enters both animal and man.
Lives on the outside and within
And is already on the outside.
This is what philosophers call the soul,
But isn't the soul: it's how animals and men are
In the way they exist.

And I think that perhaps there are beings
In whom the two things are the same
And have the same size,
And these beings are gods,
That exist because in this way they completely exist,
That don't die because they're equal to themselves,
That can do much because they're undivided
Between what they are and what they are,

E talvez nos não amem, nem nos queiram, nem nos apareçam,
Porque o que é perfeito não precisa de nada.

A ninfa é talvez o futuro da árvore ou do rio.

⁕

And perhaps don't love us, nor want us, nor appear to us,
Because what is perfect requires nothing.

Perhaps this spirit is the future of the tree and river.

※

Dizem que em cada coisa uma coisa oculta mora.
Sim, é ela própria a coisa sem ser oculta,
Que mora nela.

Mas eu, como consciência e sensações e pensamentos,
Serei como uma coisa?
Que há a mais ou a menos em mim?
Seria bom e feliz se eu fosse só o meu corpo—
Mas sou também outra coisa, mais ou menos que só isso.
Que coisa a mais ou a menos é que eu sou?

O vento sopra sem saber.
A planta vive sem saber.
Eu também vivo sem saber, mas sei que vivo.
Mas saberei que vivo, ou só saberei que o sei?
Nasço, vivo, morro por um destino em que não mando,
Sinto, penso, movo-me por uma força exterior a mim.
Então quem sou eu?

Sou, corpo e alma, o exterior de um interior qualquer?
Ou a minha alma é a consciência que a força universal
Tem do meu corpo por dentro, ser diferente dos outros corpos?
No meio de tudo onde estou eu?

Morto o meu corpo,
Desfeito o meu cérebro,
Em consciência abstracta, impessoal, sem forma,
Já não sente o eu que eu tenho,
Já não pensa com o meu cérebro os pensamentos que eu sinto meus,
Já não move pela minha vontade as minhas mãos que eu movo.

It's said that something lies hidden in everything.
Yes, it's the thing itself, what isn't hidden
That lies within it.

But I, with awareness and feelings and thoughts,
Am I also like a thing?
What, more or less, is within me?
I'd be fine and happy if I were only my body—
But I'm also something else, am more or less that.
What thing am I then, more or less?

The wind blows without knowing why.
The plant lives without know why.
I also live without knowing why, but know that I live.
But do I know that I live or only know that I know?
I'm born, live and die by a destiny I have no say in,
I feel, think and move by a force outside of me.
Who am I then?

Am I, body and soul, the outside of whatever lies within?
Or is my soul an awareness of that universal force
Contained within my body, distinct from other bodies?
Caught up in this, where am I?

My body dead,
My brain unravelled
Into something abstract, impersonal, formless,
No longer able to feel a self within me,
No longer able to think the thoughts I feel are mine,
No longer able to move my hands at will.

Cessarei assim? Não sei.
Se tiver de cessar assim, ter pena de assim cessar
Não me tornará imortal.

❋

Is this how I'll end up? I don't know.
If I end up this way, I feel it's a shame.
It wouldn't make me immortal.

※

Não basta abrir a janela
Para ver os campos e o rio.
Não é bastante não ser cego
Para ver as árvores e as flores.
É preciso também não ter filosofia nenhuma.
Com filosofia não há árvores: há ideias apenas.
Há só cada um de nós, como uma cave.
Há só uma janela fechada, e todo o mundo lá fora;
E um sonho do que se poderia ver se a janela se abrisse,
Que nunca é o que se vê quando se abre a janela.

Just opening the window isn't enough
In order to see the fields and the river.
Not being blind isn't enough
In order to see the trees and the flowers.
Not having any philosophy is also necessary.
In philosophy there aren't any trees: there are only ideas.
Every one of us is distinct, each like a chamber.
There is only one closed window, and the whole world outside;
And a dream of what you might see if the window opened,
Which never is what you see when the window opens.

Ponham na minha sepultura
    Aqui jaz, sem cruz,
    Alberto Caeiro
    Que foi buscar os deuses...
    Se os deuses vivem ou não isso é convosco.
    A mim deixei que me recebessem.

Place on my grave
Here lies, without a cross,
Alberto Caeiro
Who went in search of the gods...
Whether the gods live or not and are with you.
I leave myself to whatever receives me.

A neve pôs uma toalha calada sobre tudo.
Não se sente senão o que se passa dentro de casa.
Embrulho-me num cobertor e não penso sequer em pensar.
Sinto um gozo de animal e vagamente penso,
E adormeço sem menos utilidade que todas as acções
do mundo.

The snow places its silent mantle over everything.
Nothing is felt other than what takes place within doors.
I huddle under the covers and don't even consider thinking.
I feel an animal warmth and think vaguely,
And sink back to sleep with no less ease than all other happenings in
the world.

Hoje de manhã saí muito cedo,
Por ter acordado ainda muito mais cedo
E não ter nada que quisesse fazer...

Não sabia que caminho tomar
Mas o vento varria para um lado,
E segui o caminho para onde o vento me soprava nas costas.
Assim tem sido sempre a minha vida, e assim quero que possa
  ser sempre—
Vou onde o vento me leva e então não preciso pensar.

I went out very early this morning,
Having woken up even earlier
And with no wish to do anything in particular...

I didn't know which path to take
But the wind veered to one side,
And I followed in the direction the wind was blowing at my back.
Such has my life always been, and just like this I'd always
    have it —
I go where the wind takes me and with no need to think.

Primeiro prenúncio da trovoada de depois de amanhã,
As primeiras nuvens, brancas, pairam baixas no céu mortiço.
Da trovoada de depois de amanhã?
Tenho a certeza, mas a certeza é mentira.
Ter certeza é não estar vendo.
Depois de amanhã não há.
O que há é isto:
Um céu de azul um pouco baço, umas nuvens brancas no horizonte,
Com um retoque sujo em baixo como se viesse negro depois.
Isto é o que hoje é,
E, como hoje por enquanto é tudo, isto é tudo.
Quem sabe se eu estarei morto depois de amanhã?
Se eu estiver morto depois de amanhã, a trovoada de depois
    de amanhã
Será outra trovoada do que seria se eu não tivesse morrido.
Bem sei que a trovoada não cai da minha vista,
Mas se eu não estiver no mundo, o mundo será diferente—
Haverá eu a menos—
E a trovoada cairá num mundo diferente e não será a
    mesma trovoada.
Seja como for, a que cair é que estará caindo quando cair.

First sign of the storm expected the day after tomorrow,
The first white clouds gather low in the sluggish sky.
Those of the storm expected the day after tomorrow?
I feel certain of it, but my certainty is a lie.
To feel certain is not to be looking.
The day after tomorrow doesn't exist.
What exists is this:
A blue sky, slightly overcast, white clouds on the horizon,
With a faint stain below as if darkness were to follow.
This is what it's like today,
And, in as much as today is all there is, this is all there is.
Who knows but I might be dead the day after tomorrow?
If I should be dead the day after tomorrow, the storm the day
after tomorrow
Would be a different storm from what it would be if I hadn't died.
I am well aware that the storm isn't dependent on my sight,
But if I weren't in the world, the world would be different—
I'd be missing at least—
And the storm would fall on a different world and it wouldn't be
the same storm.
Be it as it is, the storm that breaks is what it will be when it breaks.

A Ricardo Reis

Também sei fazer conjecturas.
Há em cada coisa aquilo que ela é que a anima.
Na planta está por fora e é uma ninfa pequena.
No animal é um ser interior longínquo.
No homem é a alma que vive com ele e é já ele.
Nos deuses tem o mesmo tamanho
E o mesmo espaço que o corpo
E é a mesma coisa que o corpo.
Por isso se diz que os deuses nunca morrem.
Por isso os deuses não têm corpo e alma
Mas só corpo e são perfeitos.
O corpo é que lhes é alma
E têm a consciência na própria carne divina.

To Ricardo Reis

I also know how to make conjectures.
Within everything is the something it is that gives it life.
In a plant it's on the outside and is a small nymph.
In an animal it's a distant inner being.
In man it's the soul that lives within him and is him.
In the gods it has the same size
And takes up the same space as the body
And is the same as the body.
For this reason it's said that the gods never die.
For this reason it's said that the gods don't have body and soul
But body alone and are perfect.
The body is what gives them soul
And their consciousness lies in their own divine flesh.

(ditado pelo poeta no dia da sua morte)

É talvez o último dia da minha vida.
Saudei o sol, levantando a mão direita,
Mas não o saudei, para lhe dizer adeus.
Fiz sinal de gostar de o ver ainda, mais nada.

(dictated by the poet on the day of his death)

It might be the last day of my life.
I greeted the sun, raising my right hand,
But I didn't greet it so as to say good-bye.
My gesture was to show that I still enjoyed seeing it, no more.

This poem of the heteronym Caeiro was discovered
penciled on the flyleaf of a book in Pessoa's personal
library. It probably dates from around 1920.

On 22 June 2010, at the Bridewell Theatre (just off Blackfriars),
Richard Zenith first brought this new discovery to
Michael Lee Rattigan's attention. The poem was translated
by Michael Lee Rattigan on 20 August 2010.

....

Gosto do céu porque não creio que ele seja infinito.
Que pode ter comigo o que não começa nem acaba?
Não creio no infinito, não creio na eternidade.
Creio que o espaço começa algures e algures acaba
E que aquém e além disso há absolutamente nada.
Creio que o tempo teve um princípio e terá um fim,
E que antes e depois disso não havia tempo.
Por que há-de ser isto falso? Falso é falar de infinitos
Como se soubéssemos o que são ou os pudéssemos entender.
Não: tudo é uma quantidade do cousas.
Tudo é definido, tudo é limitado, tudo é cousas.

I enjoy heaven because I don't believe that it's infinite.
What does not having a beginning or end have to do with me?
I don't believe in the infinite, I don't believe in eternity.
I believe space starts somewhere and ends somewhere
And that this side and the other means absolutely nothing.
I believe time has a beginning and an end,
And that before and after this there wasn't time.
Why should this be false? It's false to believe in infinites
As if we knew it or it were something we could understand.
No: everything is an amount of things.
Everything is defined, everything is limited, everything is things.

ISBN 978-0-9552904-5-9

First published in Great Britain, 2010

rufus books
2 Lansdowne Row / No. 152
Berkeley Square
London W1J 6HL
England

Affiliates of rufus books under the same publishing name are also located in Dublin, Ireland, and Toronto, Canada.

TRANSLATOR ACKNOWLEDGEMENTS

I am indebted to the following publications in presenting this complete vision of Alberto Caeiro's poetry. Fernando Cabral Martins's and Richard Zenith's exemplary edition, *Alberto Caeiro: Poesia* (Assirio & Alvim, 2004), brought to light the last of the heteronym's poems from Fernando Pessoa's legendary trunk and was particularly helpful in finding a shape for the detached poems. Ángel Campos Pámpano's beautiful Spanish translation, *Poesías completas de Alberto Caeiro: versión, prólogo y notas de Ángel Campos Pámpano* (Pre-Textos, 2005) offered poetic insight into the possibilities within Fernando Pessoa's original text.

Many poems have gained strength in translation through the patience, enthusiasm and advice of others. I would like to thank my mum, Valerie, for her sensitivity and suggestions, together with my dad and sister, Mick and Kelly, for their constant affection and understanding.

Respect and thanks to David Ferguson who years ago suggested I might make a "mission" out of translating all the poems into English. Further thanks to Bruno Reis for reading the translations and helping to keep them close—in spirit and substance—to the originals.

Strong thanks to Ágnes Cserháti for her solid help, commitment, deep understanding, and all-round support in the forming of this book.

AUTHOR & HETERONYM BIOGRAPHIES

Fernando António Nogueira Pessoa was born in Lisbon in 1888. He spent much of his childhood in Durban, South Africa, returning to Lisbon at the age of seventeen. He earned his living as a writer of foreign correspondence for business firms, as a translator, and horoscope seller. Of the four books of poetry published in his lifetime, three were in English. He also regularly contributed to magazines. Pessoa created a wide array of characters in the theatre of himself, made up of at least seventy-two "dramatis personae", though the three heteronyms for which he is most famous are Alberto Caeiro, Álvaro de Campos, and Ricardo Reis. He died in Lisbon in 1935.

Alberto Caeiro, recognised as a teacher by the other heteronyms, was conceived of as the poet of spontaneity, directness and instinct. According to Álvaro de Campos, Caeiro received formal education at primary level only, and spent almost his entire life on a farmstead in Ribatejo, a rural area outside of Lisbon. The first poem written in the heteronym was on March 8th, 1914—Pessoa's "dia triunfal"—and the last was probably in 1930. The dates provided by Ricardo Reis for Caeiro are 1889–1915.

TRANSLATOR BIOGRAPHY

Michael Lee Rattigan was born in Croydon, England of Irish and Anglo-Indian parentage. After studying at The John Fisher and Whitgift schools in Surrey, he took a literature degree at The University of Kent. He went on to complete postgraduate studies at Trinity College Dublin where he published his first poems and later at the University of London. Between years of study he lived and taught in Cancun, Mexico, and Palma de Mallorca, Spain, where he began translating the poems of Fernando Pessoa's heteronym, Alberto Caiero.

This First Edition,
designed by Ágnes Cserháti,
is composed in Lisboa Sans OSF Light

It is printed offset on Zephyr Antique Book Laid,
with the logo in letterpress, and is Smyth-sewn and perfect bound
by Gaspereau Press, Kentville, Nova Scotia

It is limited to 300 copies of which this is

Copy №

69